하루 10분 서술형/문장제 학습지

씨투엠

# A4 덧셈과 뺄셈 II

초1~초2

씨투엠

# 수학독해 : 수학을 스스로 읽고 해결하다

객관식이나 간단한 단답형 문제는 자신 있는데 긴 문장이나 풀이 과정을 쓰라는 문제는 어려워하는 아이들이 있어요. 빠르고 정확하게 연산하고 교과 응용문제까지도 곧잘 풀어내지만, 문제 속 상황이 약간만 복잡해지면 문제를 풀려고도 하지 않는 아이들도 많아요. 이러한 아이들에게 부족한 것은 연산 능력이나 문제 해결력보다는 독해력과 표현력입니다. 특히 수학적 텍스트를 이해하고 표현하는 능력, 즉 수학 독해력이지요.

요즘 아이들의 독해력이 약해진 가장 큰 이유는 과거에 비해 이야기를 만나는 방식이 다양해졌기 때문이에요. 예전에는 대부분 말이나 글로써만 이야기를 접했어요. 텍스트 위주로 여러 가지 사건을 간접 체험하고, 머릿 속으로 상황을 그려내는 훈련이 자연스럽게 이루어졌지요. 반면 요즘 아이들은 글보다도 TV나 스마트폰 등 영상매체에 훨씬 빨리, 자주 노출되기에 글을 통해 상상을 할 필요가 점점 없어지게 되었습니다.

그렇다고 아이들에게 어렸을 때부터 영화나 애니메이션을 못 보게 하고 책만 읽게 하는 것은 바람직하지 않고, 가능하지도 않아요. 시각 매체는 그 자체로 많은 장점이 있기 때문에 지금의 아이들은 예전 세대에 비해 이미지에 대한 이해력과 적용력이 매우 뛰어나답니다. 문제는 아직까지 모든 학습과 평가 방식이 여전히 텍스트 위주이기 때문에 지금도 아이들에게 독해력이 중요하다는 점이에요. 그래서 저희는 영상 매체에는 익숙하지만 말이나 글에는 약한 아이들을 위한 새로운 수학 독해력 향상 프로그램인 씨투엠 수학독해를 기획하게 되었어요.

씨투엠 수학독해는 기존 문장제/서술형 교재들보다 더욱 쉽고 간단한 학습법을 보여주려 해요. 문제에 있는 문장과 표현 하나하나마다 따로 접근하여 아이들이 어려워하는 포인트를 찾고, 각 포인트마다 직관적인 활동을 통해 독해력과 표현력을 차근차근 끌어올리려고 합니다. 또한 문제 이해와 풀이 서술 과정을 단계별로 세세하게 나누어 문장제, 서술형 문제를 부담 없이 체계적으로 연습할 수 있어요. 새로운 문장제 학습법인 씨투엠 수학독해가 문장제 문제에 특히 어려움을 겪고 있거나 앞으로 서술형 문제를 좀 더 잘 대비하고 싶은 아이들에게 큰 도움이 될 것이라 자신합니다.

씨투엠

# 수학독해의 구성과 특징

- 매일 부담없이 2쪽씩, 하루 10분 문장제 학습
- 매주 5일간 단계별 활동, 6일차는 중요 문장제 확인학습
- 5회분의 진단평가로 테스트 및 복습

## 주차별 구성

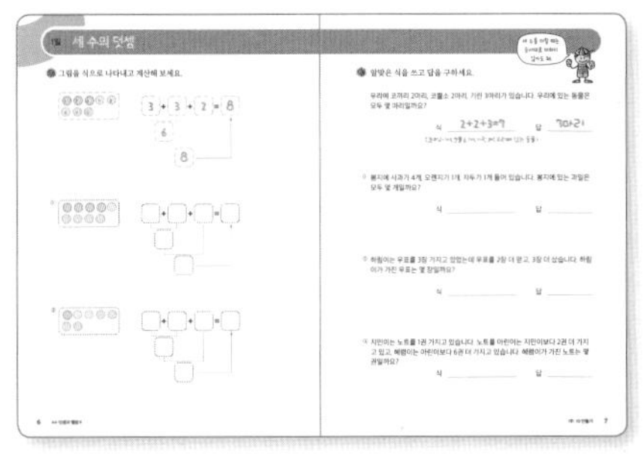

### 일일학습

꼬마 수학자들의 간단한 팁과 함께 매일 새롭게 만나는 단계별 문장제 활동

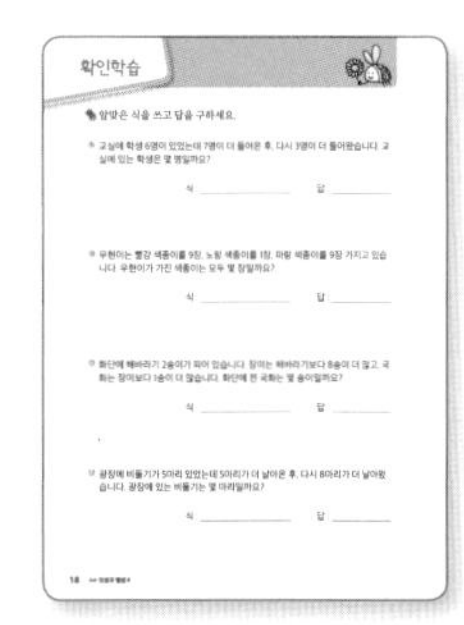

### 확인학습

중요 문장제 활동을 다시 한번 확인하며 주차 학습 마무리

| | 1일 | 2일 | 3일 | 4일 | 5일 | 확인학습 |
|---|---|---|---|---|---|---|
| 1주차 | 6쪽 ~ 7쪽 | 8쪽 ~ 9쪽 | 10쪽 ~ 11쪽 | 12쪽 ~ 13쪽 | 14쪽 ~ 15쪽 | 16쪽 ~ 18쪽 |
| 2주차 | 20쪽 ~ 21쪽 | 22쪽 ~ 23쪽 | 24쪽 ~ 25쪽 | 26쪽 ~ 27쪽 | 28쪽 ~ 29쪽 | 30쪽 ~ 32쪽 |
| 3주차 | 34쪽 ~ 35쪽 | 36쪽 ~ 37쪽 | 38쪽 ~ 39쪽 | 40쪽 ~ 41쪽 | 42쪽 ~ 43쪽 | 44쪽 ~ 46쪽 |
| 4주차 | 48쪽 ~ 49쪽 | 50쪽 ~ 51쪽 | 52쪽 ~ 53쪽 | 54쪽 ~ 55쪽 | 56쪽 ~ 57쪽 | 58쪽 ~ 60쪽 |

## 진단평가 구성

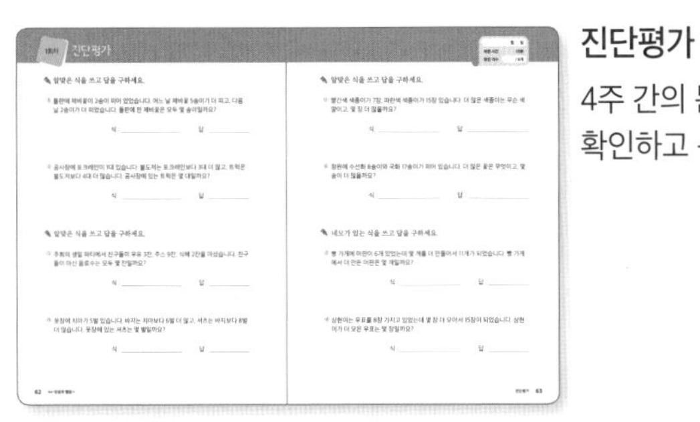

### 진단평가

4주 간의 문장제 학습에서 부족한 부분을 확인하고 복습하기 위한 자가 진단 테스트

| | 1회 | 2회 | 3회 | 4회 | 5회 |
|---|---|---|---|---|---|
| 진단평가 | 62쪽 ~ 63쪽 | 64쪽 ~ 65쪽 | 66쪽 ~ 67쪽 | 68쪽 ~ 69쪽 | 70쪽 ~ 71쪽 |

# 이 책의 차례

1주차

# 10 만들기

# 세 수의 덧셈

그림을 식으로 나타내고 계산해 보세요.

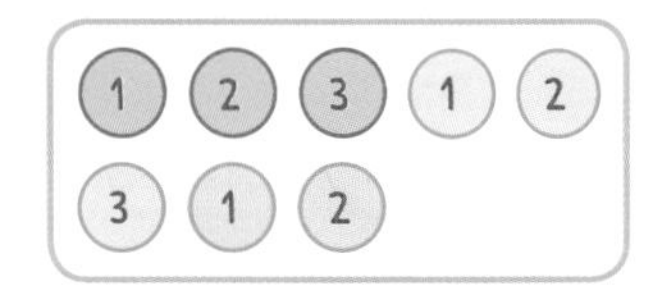


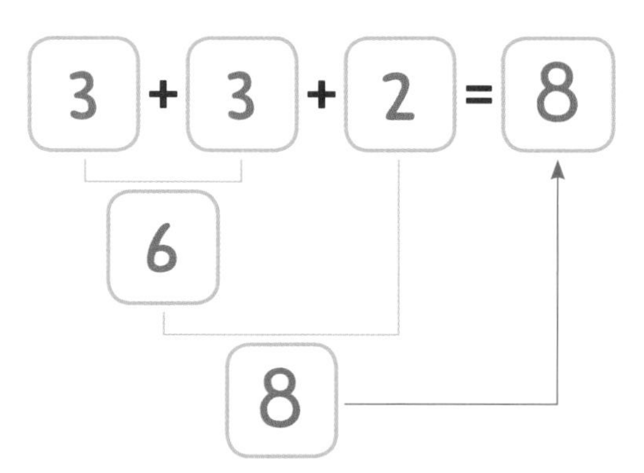


①

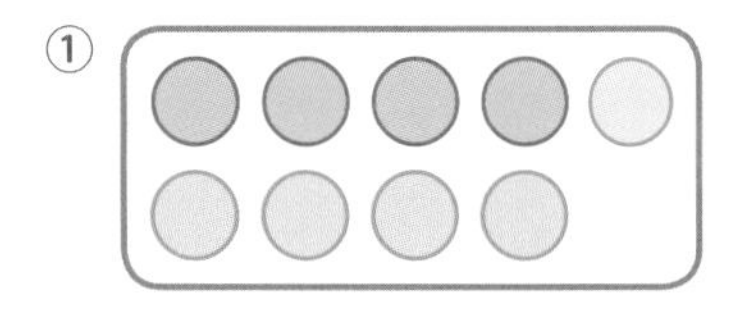

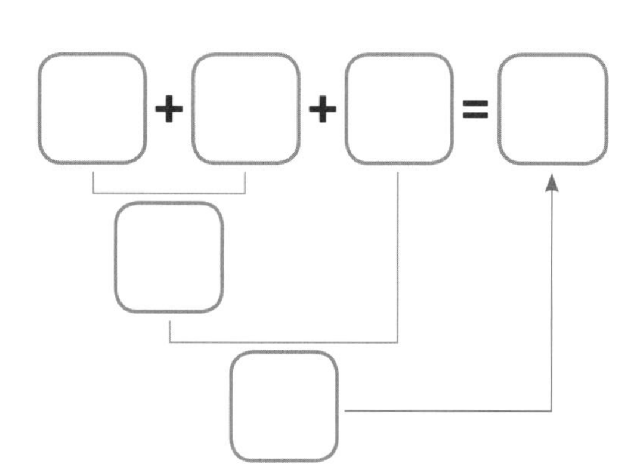


②

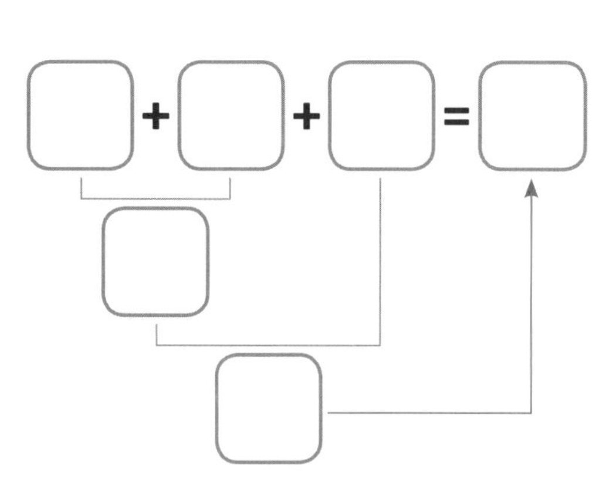

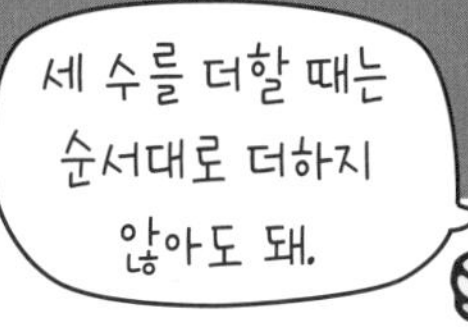

❀ 알맞은 식을 쓰고 답을 구하세요.

우리에 코끼리 2마리, 코뿔소 2마리, 기린 3마리가 있습니다. 우리에 있는 동물은 모두 몇 마리일까요?

식 : 2+2+3=7　　답 : 7마리

(코끼리)+(코뿔소)+(기린)=(우리에 있는 동물)

① 봉지에 사과가 4개, 오렌지가 1개, 자두가 1개 들어 있습니다. 봉지에 있는 과일은 모두 몇 개일까요?

식 : ______　　답 : ______

② 하림이는 우표를 3장 가지고 있었는데 우표를 2장 더 얻고, 3장 더 샀습니다. 하림이가 가진 우표는 몇 장일까요?

식 : ______　　답 : ______

③ 지민이는 노트를 1권 가지고 있습니다. 노트를 아린이는 지민이보다 2권 더 가지고 있고, 혜렴이는 아린이보다 6권 더 가지고 있습니다. 혜렴이가 가진 노트는 몇 권일까요?

식 : ______　　답 : ______

# 2일 세 수의 뺄셈

그림을 식으로 나타내고 계산해 보세요.

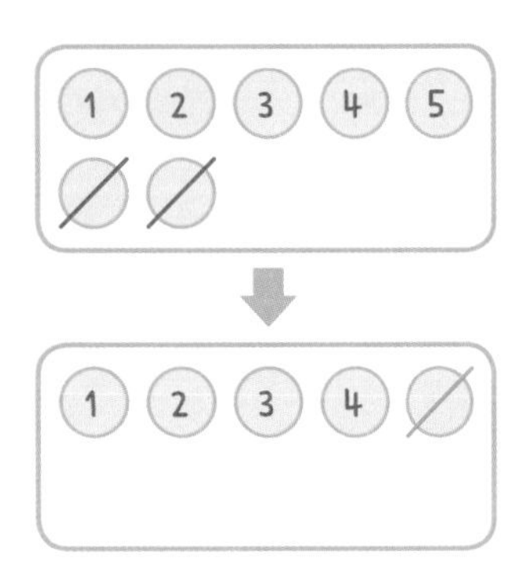


7 - 2 - 1 = 4

5

4

①

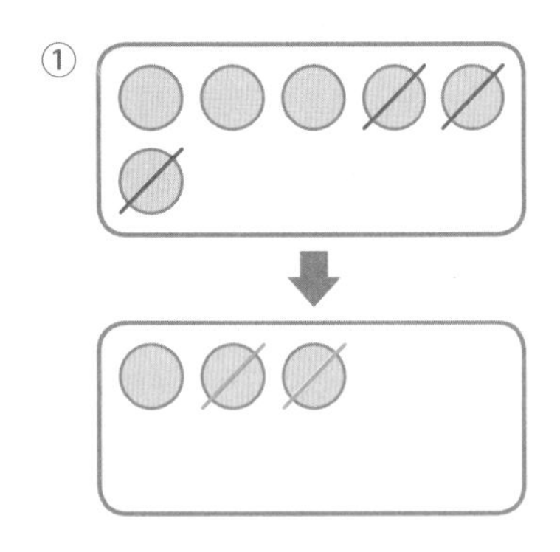

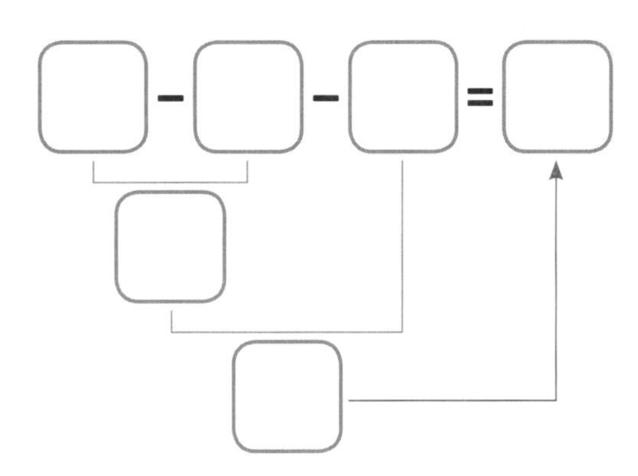

②

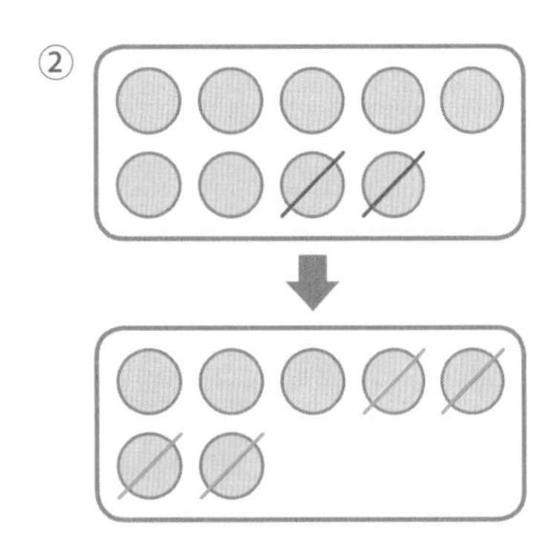

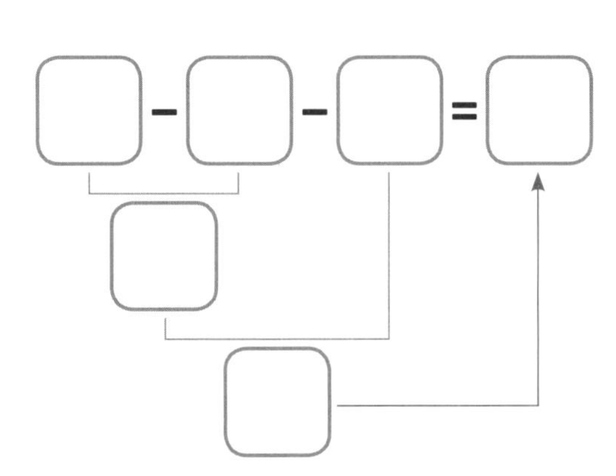

 알맞은 식을 쓰고 답을 구하세요.

한이는 동화책을 5권 가지고 있습니다. 동화책을 두리는 한이보다 2권 더 적게 가지고 있고, 세미는 두리보다 1권 더 적게 가지고 있습니다. 세미가 가진 동화책은 몇 권일까요?

식 : 5-2-1=2 답 : 2권

(한이의 동화책)-(2권)-(1권)=(세미의 동화책)

① 과일 가게에 수박이 8개 있었는데 아침에 3개 팔고, 낮에 2개 더 팔았습니다. 과일 가게에 남은 수박은 몇 개일까요?

식 : ______ 답 : ______

② 버스에 6명이 타고 있었습니다. 한 정류장에서 1명이 내리고, 다음 정류장에서 4명이 더 내렸습니다. 버스에 남은 사람은 몇 명일까요?

식 : ______ 답 : ______

③ 광장에 비둘기 7마리가 있습니다. 참새는 비둘기보다 2마리 더 적고, 까치는 참새보다 3마리 더 적습니다. 광장에 있는 까치는 몇 마리일까요?

식 : ______ 답 : ______

# 3일 10이 되는 더하기

그림을 식으로 나타내고 계산해 보세요.

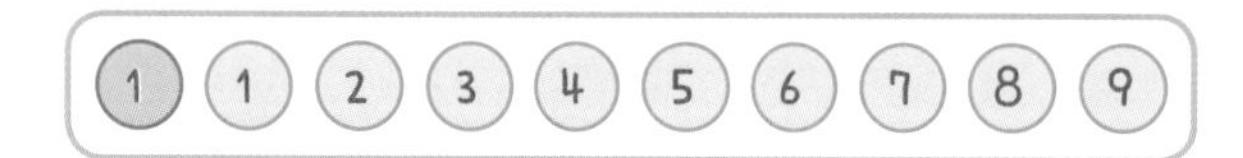

1 + 9 = 10

2 + 8 = 10

① □ + □ = □

② □ + □ = □

③ □ + □ = □

④ □ + □ = □

⑤ □ + □ = □

⑥ □ + □ = □

⑦ □ + □ = □

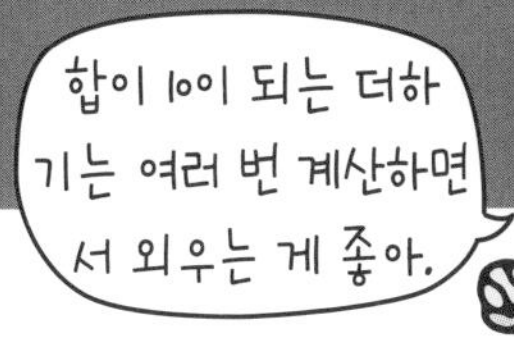


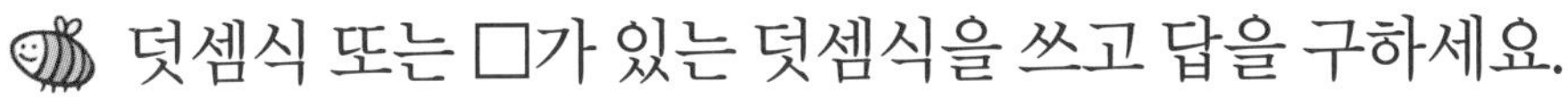


공원에 은행나무 3그루와 소나무 몇 그루가 있습니다. 공원에 있는 은행나무와 소나무가 모두 10그루일 때 소나무는 몇 그루일까요?

식 : 3+□=10　　　답 : 7그루

(은행나무)+(소나무)=(은행나무와 소나무)

① 필통에 볼펜이 4자루 있고, 연필은 볼펜보다 6자루 더 많습니다. 필통에 있는 연필은 몇 자루일까요?

식 : ______________　　　답 : ______________

② 버스에 9명이 타고 있었는데 몇 명이 더 타서 10명이 되었습니다. 버스에 더 탄 사람은 몇 명일까요?

식 : ______________　　　답 : ______________

③ 노랑 색종이 몇 장과 초록 색종이 2장을 모았더니 10장이 되었습니다. 노랑 색종이는 몇 장일까요?

식 : ______________　　　답 : ______________

## 4일 10에서 빼기

그림을 식으로 나타내고 계산해 보세요.

10 - 1 = 9

1 2 3 4 5 6 7 8

10 - 2 = 8

① □ - □ = □

② □ - □ = □

③ □ - □ = □

④ □ - □ = □

⑤ 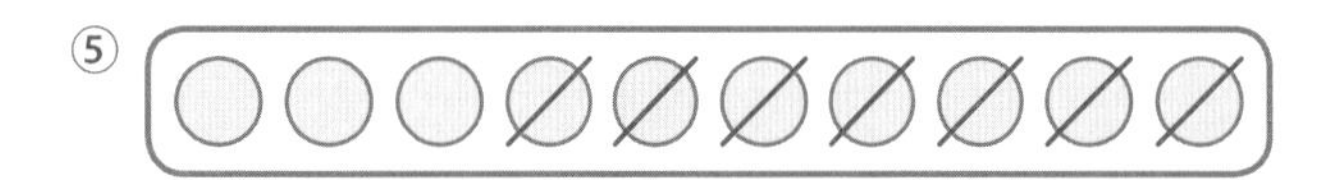

□ - □ = □

⑥ 

□ - □ = □

⑦ □ - □ = □

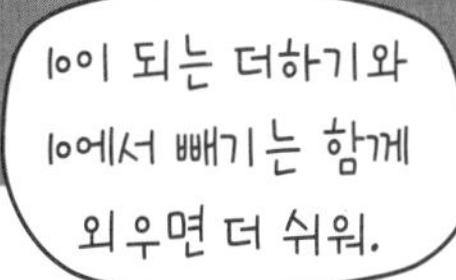

빼셈식 또는 □가 있는 뺄셈식을 쓰고 답을 구하세요.

버스에 타고 있던 사람 중 8명이 내리고 2명이 남았습니다. 원래 버스에 타고 있던 사람은 몇 명일까요?

식 : □-8=2 답 : 10명

(원래 타고 있던 사람)-(내린 사람)=(남은 사람)

① 친구들이 음료수 10잔 중 몇 잔을 마시고 3잔이 남았습니다. 친구들이 마신 음료수는 몇 잔일까요?

식 : ______ 답 : ______

② 은이는 딱풀을 10개 가지고 있고, 동생은 은이보다 4개 더 적게 가지고 있습니다. 동생이 가진 딱풀은 몇 개일까요?

식 : ______ 답 : ______

③ 우표 몇 장 중 5장을 편지에 붙였더니 5장이 남았습니다. 원래 있던 우표는 몇 장일까요?

식 : ______ 답 : ______

# 5일 10 만들어 더하기

그림을 식으로 나타내고 계산해 보세요.

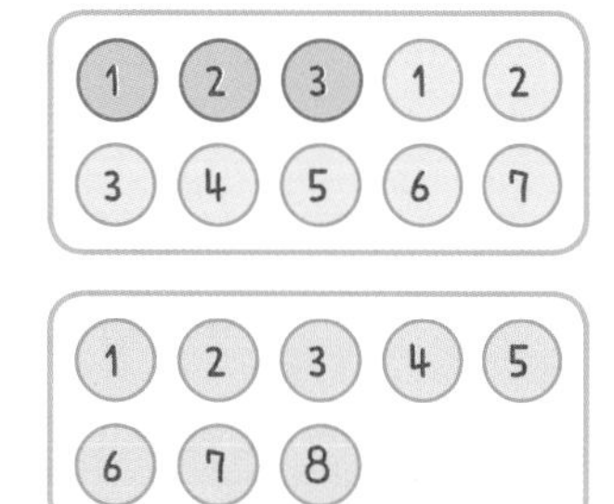


3 + 7 + 8 = 18

10

18

①

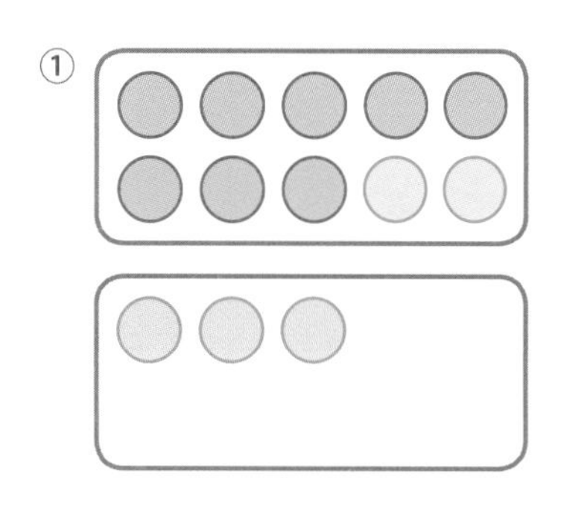

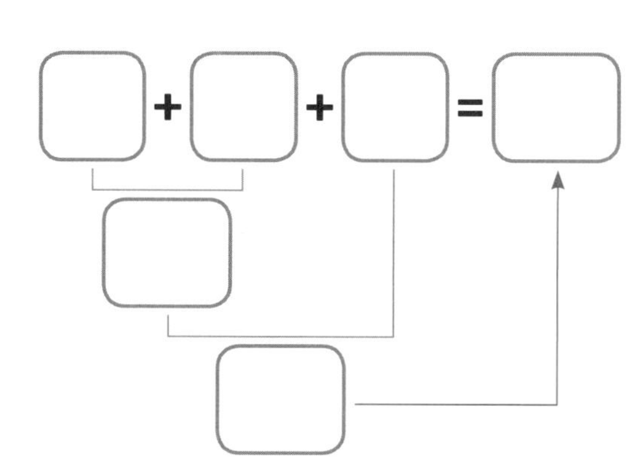

②

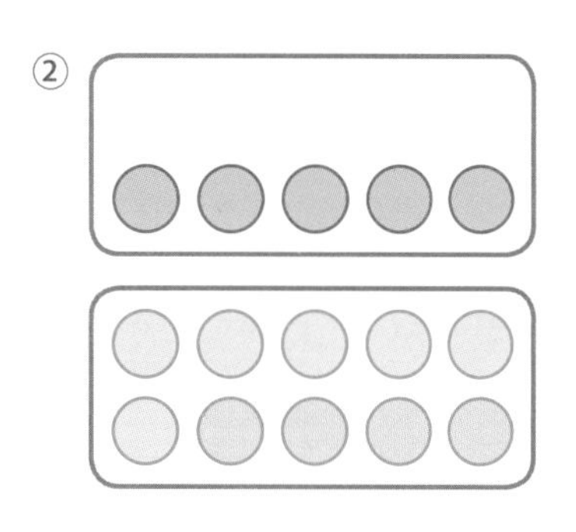

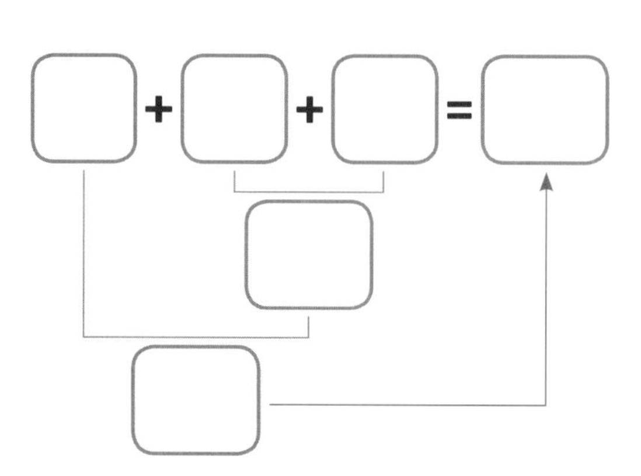

## 알맞은 식을 쓰고 답을 구하세요.

냉장고에 사과 4개, 귤 6개, 복숭아 1개가 있습니다. 냉장고에 있는 과일은 모두 몇 개일까요?

식 : 4+6+1=11 답 : 11개

(사과)+(귤)+(복숭아)=(과일)

① 공원에 나무 7그루가 있었는데 5그루를 더 심은 후, 다시 5그루를 더 심었습니다. 공원에 있는 나무는 몇 그루일까요?

식 : ____________ 답 : ____________

② 체육관에 1반 학생 2명, 2반 학생 8명, 3반 학생 4명이 있습니다. 체육관에 있는 학생은 모두 몇 명일까요?

식 : ____________ 답 : ____________

③ 주차장에 트럭이 2대 있습니다. 버스는 트럭보다 1대 더 많고, 택시는 버스보다 9대 더 많습니다. 주차장에 있는 택시는 몇 대일까요?

식 : ____________ 답 : ____________

# 확인학습

알맞은 식을 쓰고 답을 구하세요.

① 문구점에 남자 어린이 3명, 여자 어린이 1명, 어른 2명이 있습니다. 문구점에 있는 사람은 모두 몇 명일까요?

식 : ________________ 답 : ____________

② 엄마가 만원 지폐를 7장 가지고 있습니다. 천원 지폐는 만원 지폐보다 1장 더 적고, 오천원 지폐는 천원 지폐보다 2장 더 적습니다. 엄마가 가진 오천원 지폐는 몇 장일까요?

식 : ________________ 답 : ____________

③ 연못에 올챙이 8마리가 있었는데 5마리가 개구리가 되었고, 다시 2마리가 더 개구리가 되었습니다. 연못에 남은 올챙이는 몇 마리일까요?

식 : ________________ 답 : ____________

④ 병아리를 기민이는 6마리, 로미는 1마리, 나연이는 2마리 기르고 있습니다. 세 사람이 기르고 있는 병아리는 모두 몇 마리일까요?

식 : ________________ 답 : ____________

## 덧셈식, 뺄셈식 또는 □가 있는 식을 쓰고 답을 구하세요.

⑤ 민우는 클립을 5개 가지고 있고, 아미도 클립을 5개 가지고 있습니다. 두 사람이 가진 클립은 모두 몇 개일까요?

식 : ____________________ 답 : ____________

⑥ 화단에 튤립이 국화보다 4송이 더 많은 10송이 피어 있습니다. 화단에 있는 국화는 몇 송이일까요?

식 : ____________________ 답 : ____________

⑦ 연못에 있던 오리 10마리 중 몇 마리가 날아가서 2마리가 남았습니다. 날아간 오리는 몇 마리일까요?

식 : ____________________ 답 : ____________

⑧ 운동장에 있던 자동차 중 1대가 떠나고 9대가 남았습니다. 운동장에 원래 있던 자동차는 몇 대일까요?

식 : ____________________ 답 : ____________

# 확인학습

✎ 알맞은 식을 쓰고 답을 구하세요.

⑨ 교실에 학생 6명이 있었는데 7명이 더 들어온 후, 다시 3명이 더 들어왔습니다. 교실에 있는 학생은 몇 명일까요?

식 : ______________ 답 : ______________

⑩ 우현이는 빨강 색종이를 9장, 노랑 색종이를 1장, 파랑 색종이를 9장 가지고 있습니다. 우현이가 가진 색종이는 모두 몇 장일까요?

식 : ______________ 답 : ______________

⑪ 화단에 해바라기 2송이가 피어 있습니다. 장미는 해바라기보다 8송이 더 많고, 국화는 장미보다 1송이 더 많습니다. 화단에 핀 국화는 몇 송이일까요?

식 : ______________ 답 : ______________

⑫ 광장에 비둘기가 5마리 있었는데 5마리가 더 날아온 후, 다시 8마리가 더 날아왔습니다. 광장에 있는 비둘기는 몇 마리일까요?

식 : ______________ 답 : ______________

2주차

# 받아올림 덧셈

# 1일 받아올림

🌼 그림을 보고 빈칸에 알맞은 수를 써넣으세요.

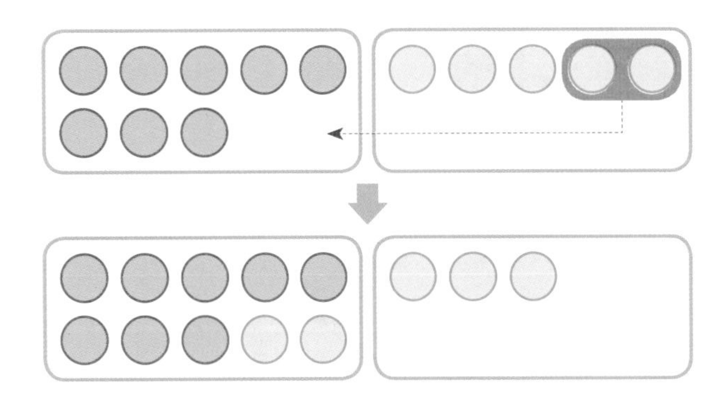

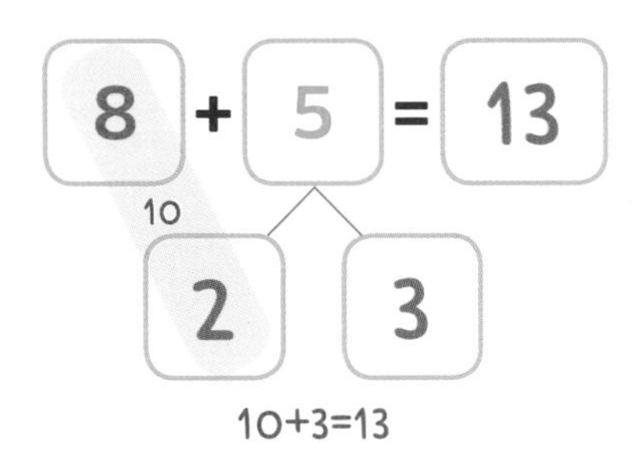


①

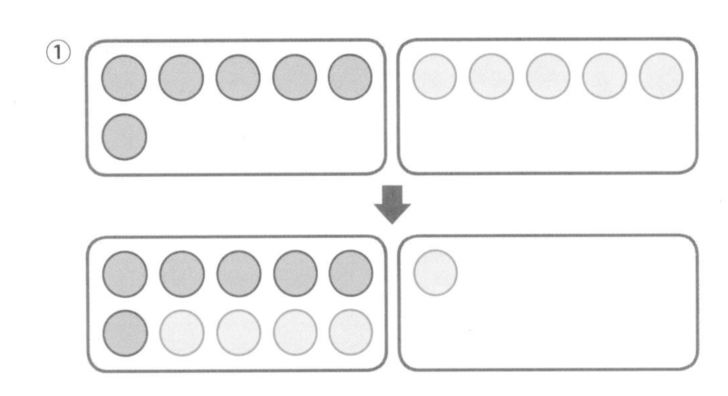

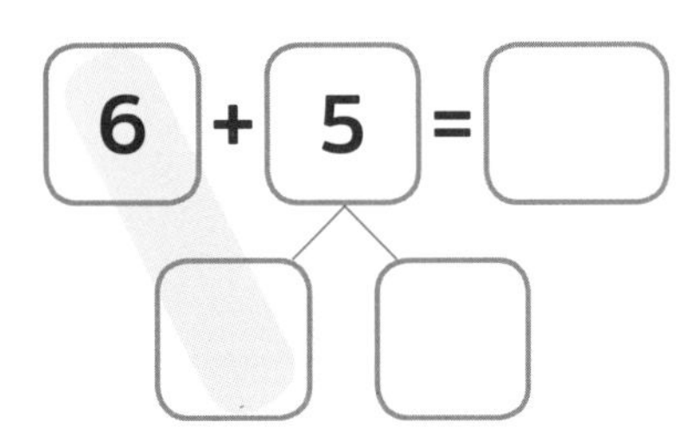


②

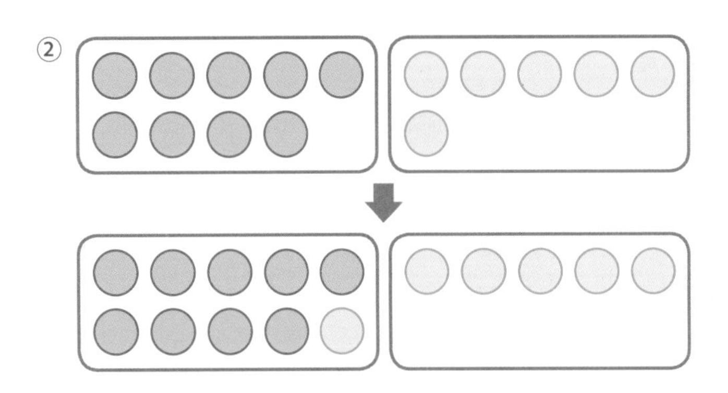

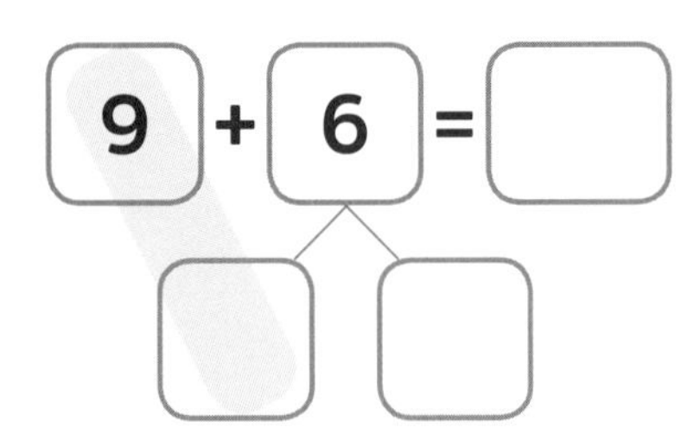

그림을 보고 빈칸에 알맞은 수를 써넣으세요.

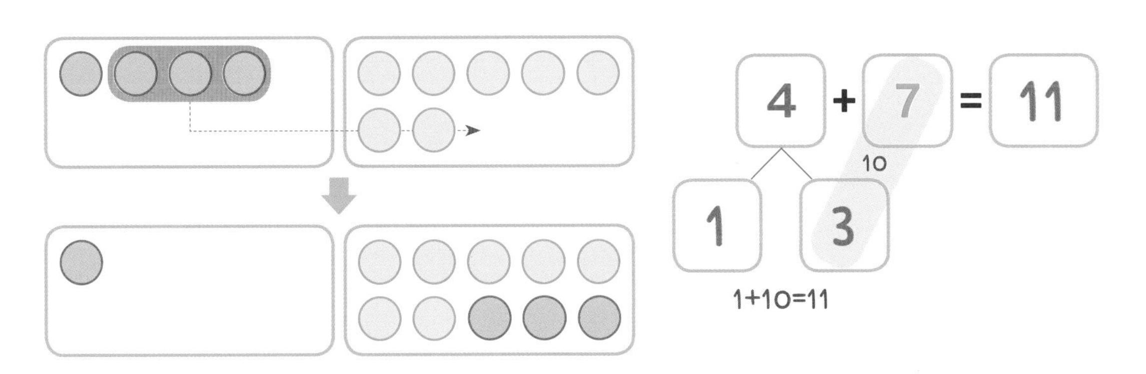


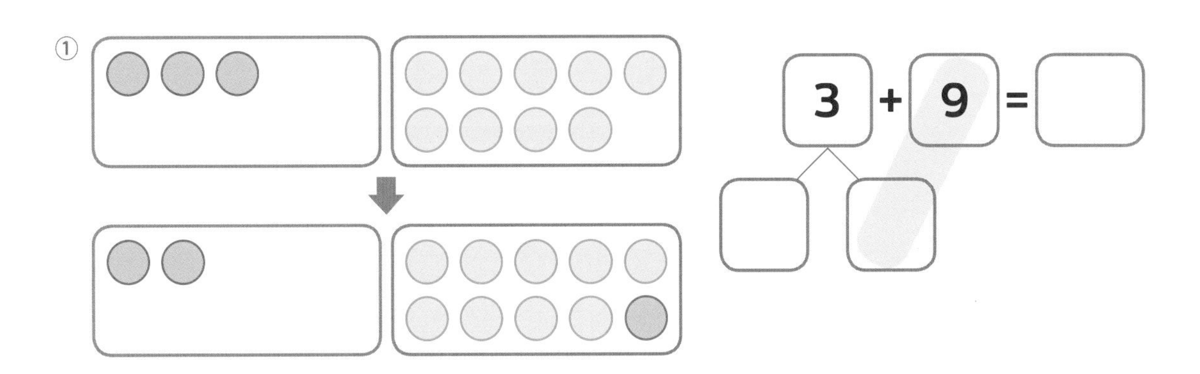


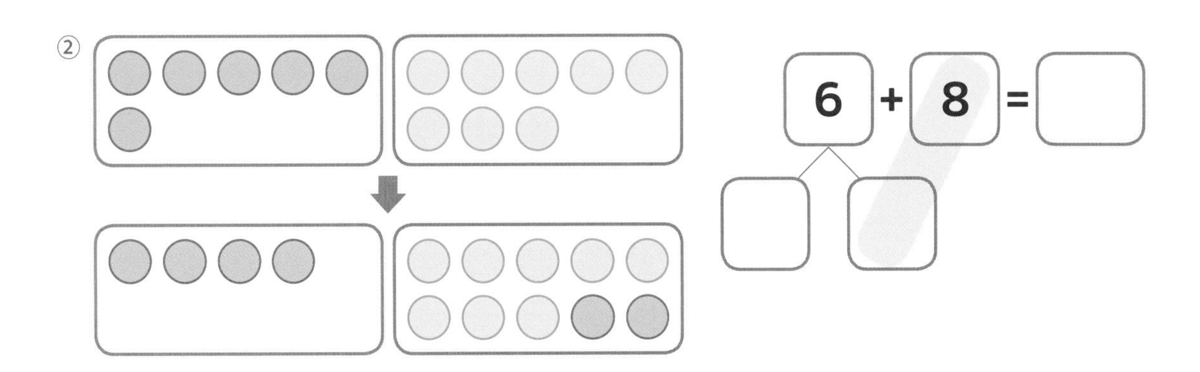

# 2일 늘어나면 얼마일까요

소연이는 동전을 7개 가지고 있었는데 엄마에게 4개를 더 받았습니다. 소연이가 가진 동전은 몇 개일까요?

① 운동장에 아이들이 8명 있었는데 5명이 더 왔습니다. 운동장에 있는 아이들은 몇 명일까요?

☐ + ☐ = ☐ 답 : ______

② 책장에 동화책이 6권 있었는데 8권을 더 꽂았습니다. 책장에 있는 책은 몇 권일까요?

☐ + ☐ = ☐ 답 : ______

③ 공원에 자전거가 6대 있었는데 6대가 더 왔습니다. 공원에 있는 자전거는 몇 대일까요?

☐ + ☐ = ☐ 답 : ______

## 알맞은 식을 쓰고 답을 구하세요.

연못에 두루미가 8마리 있었는데 5마리가 더 날아왔습니다. 연못에 있는 두루미는 몇 마리일까요?

식 : 8+5=13　　　답 : 13마리

(원래 있던 두루미)+(날아온 두루미)=(연못에 있는 두루미)

① 욕실에 칫솔이 7개 있었는데 엄마가 9개를 더 사왔습니다. 욕실에 있는 칫솔은 몇 개일까요?

식 : ______________　　　답 : __________

② 현우는 우표를 3장 가지고 있었는데 8장을 더 모았습니다. 현우가 가진 우표는 몇 장일까요?

식 : ______________　　　답 : __________

③ 지민이는 그림책을 5쪽 읽었는데 9쪽을 더 읽었습니다. 지민이가 읽은 그림책은 몇 쪽일까요?

식 : ______________　　　답 : __________

# 3일 몇 큰 수는 얼마일까요

빈칸에 알맞은 수를 써넣고 답을 구하세요.

산책길에 플라타너스가 8그루 있고, 은행나무는 플라타너스보다 4그루 더 많습니다. 산책길에 있는 은행나무는 몇 그루일까요?

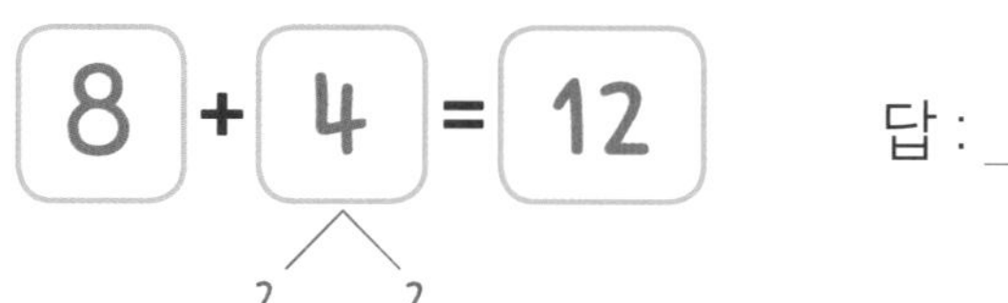

답 : 12그루

① 냉장고에 메추리알이 6개 있고, 달걀은 메추리알보다 8개 더 많습니다. 냉장고에 있는 달걀은 몇 개일까요?

□ + □ = □ 답 : ______

② 책장에 그림책이 5권 있고, 동화책은 그림책보다 6권 더 많습니다. 책장에 있는 동화책은 몇 권일까요?

□ + □ = □ 답 : ______

③ 수영장에 남자가 9명 있고, 여자는 남자보다 9명 더 많습니다. 수영장에 있는 여자는 몇 명일까요?

□ + □ = □ 답 : ______

## 알맞은 식을 쓰고 답을 구하세요.

바구니에 복숭아가 7개 있고, 자두는 복숭아보다 4개 더 많습니다. 바구니에 있는 자두는 몇 개일까요?

식 : 7+4=11　　　답 : 11개

(복숭아)+(4개)=(자두)

① 꽃다발에 백합이 4송이 있고, 장미는 백합보다 9송이 더 많습니다. 꽃다발에 있는 장미는 몇 송이일까요?

식 : ______　　　답 : ______

② 줄넘기를 진아는 5번 했고, 수연이는 진아보다 7번 더 했습니다. 수연이는 줄넘기를 몇 번 했을까요?

식 : ______　　　답 : ______

③ 주차장에 오토바이가 8대 있고, 버스는 오토바이보다 7대 더 많습니다. 주차장에 있는 버스는 몇 대일까요?

식 : ______　　　답 : ______

# 4일 모두 얼마일까요

빈칸에 알맞은 수를 써넣고 답을 구하세요.

지우개를 연지는 4개, 혁오는 9개 가지고 있습니다. 두 사람이 가진 지우개는 모두 몇 개일까요?

① 한 달 동안 미선이는 위인전을 6권, 동화책을 8권 읽었습니다. 한 달 동안 미선이가 읽은 책은 모두 몇 권일까요?

☐ + ☐ = ☐ 답 : ______

② 올해 기현이는 9살이고 동생은 2살입니다. 기현이와 동생의 나이의 합은 몇 살일까요?

☐ + ☐ = ☐ 답 : ______

③ 우준이네 동네에는 집이 6채 있고, 아름이네 동네에는 집이 7채 있습니다. 두 동네에 있는 집은 모두 몇 채일까요?

☐ + ☐ = ☐ 답 : ______

## 알맞은 식을 쓰고 답을 구하세요.

옷장에 바지가 8벌, 셔츠가 9벌 있습니다. 옷장에 있는 바지와 셔츠는 모두 몇 벌일까요?

식 : 8+9=17　　　답 : 17벌

(바지)+(셔츠)=(바지와 셔츠)

① 전깃줄에 제비가 3마리, 참새가 8마리 앉아 있습니다. 전깃줄에 앉아 있는 제비와 참새는 모두 몇 마리일까요?

식 : ______________　　　답 : __________

② 빨간색 색연필이 7자루, 파란색 색연필이 7자루 있습니다. 색연필은 모두 몇 자루일까요?

식 : ______________　　　답 : __________

③ 구슬을 노라는 9개, 미루는 6개 가지고 있습니다. 두 사람이 가진 구슬은 모두 몇 개일까요?

식 : ______________　　　답 : __________

# 5일 세 수 더하기

빈칸에 알맞은 수를 써넣고 답을 구하세요.

책장에 그림책이 7권 있었는데 6권을 더 빌려와서 꽂았고, 3권을 더 사와서 꽂았습니다. 책장에 있는 그림책은 몇 권일까요?

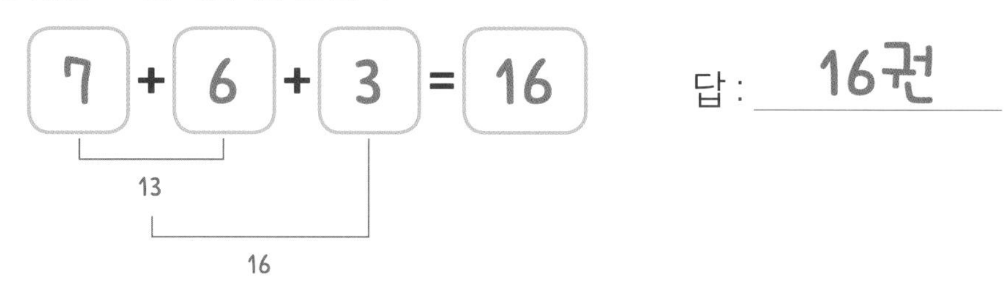


① 현지는 스티커를 5장 가지고 있습니다. 하라는 현지보다 3장 더 가지고 있고, 소미는 하라보다 9장 더 가지고 있습니다. 소미가 가진 스티커는 몇 장일까요?

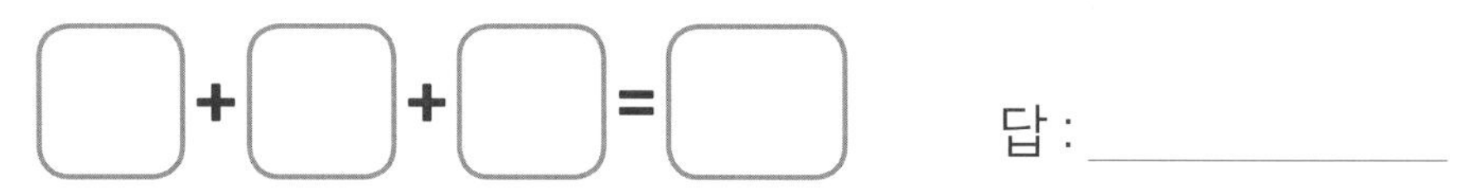


② 올해 재진이는 4살, 형은 5살, 누나는 6살입니다. 세 사람의 나이의 합은 몇 살일까요?

□ + □ + □ = □ 답 : ______

③ 교실에 6명이 있었는데 여학생이 3명 더 들어왔고, 남학생이 2명 더 들어왔습니다. 교실에 있는 사람은 몇 명일까요?

□ + □ + □ = □ 답 : ______

## 알맞은 식을 쓰고 답을 구하세요.

냉장고에 배가 3개 있습니다. 사과는 배보다 6개 더 많고, 자두는 사과보다 9개 더 많습니다. 냉장고에 있는 자두는 몇 개일까요?

식 : 3+6+9=18 답 : 18개

(배)+(6개)+(9개)=(자두)

① 농장에 오리가 5마리, 닭이 6마리, 돼지가 1마리 있습니다. 농장에 있는 동물은 모두 몇 마리일까요?

식 : ______ 답 : ______

② 운동장에 자동차가 9대 있었는데 2대가 더 왔고, 잠시 후 7대가 더 왔습니다. 운동장에 있는 자동차는 몇 대일까요?

식 : ______ 답 : ______

③ 꽃 가게에 튤립 8송이가 있습니다. 국화는 튤립보다 7송이 더 많고, 장미는 국화보다 2송이 더 많습니다. 꽃 가게에 있는 장미는 몇 송이일까요?

식 : ______ 답 : ______

# 확인학습

그림을 보고 빈칸에 알맞은 수를 써넣으세요.

①

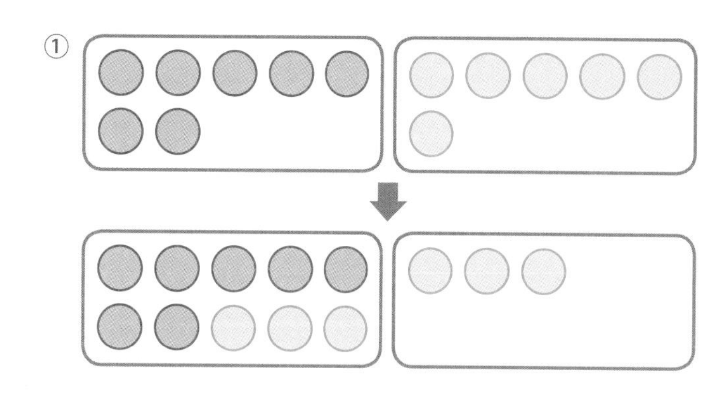

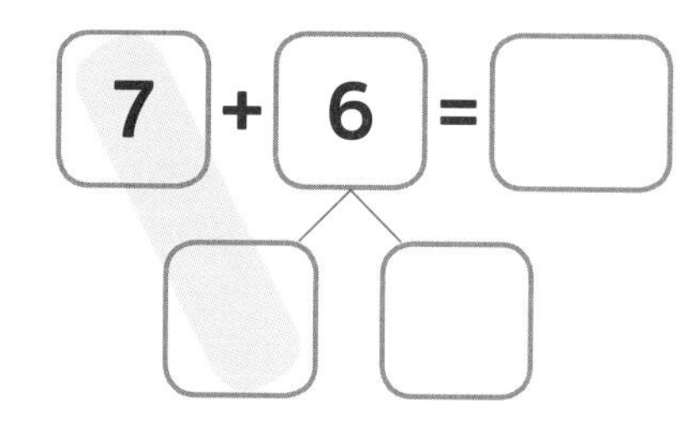


②

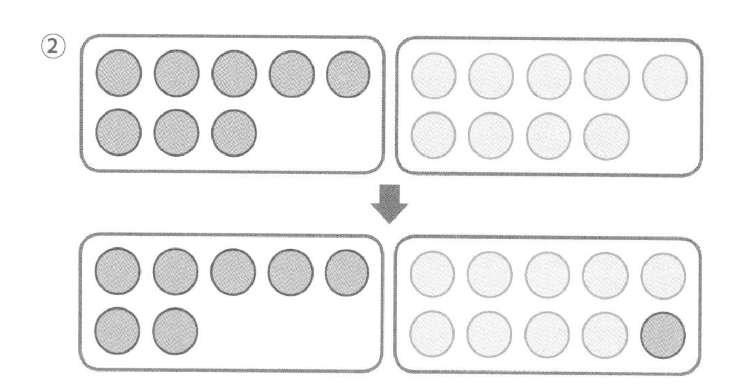

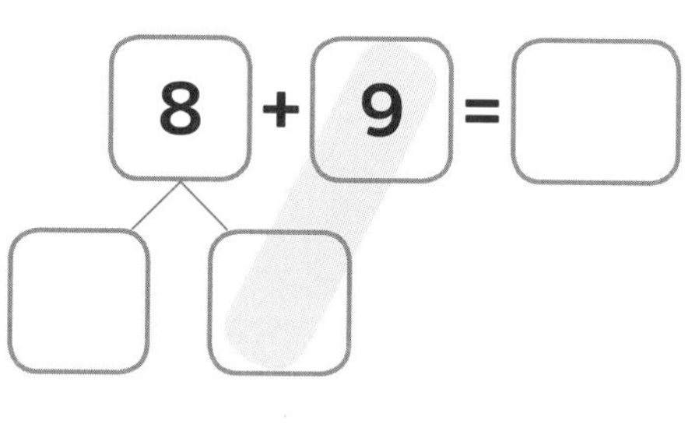


③

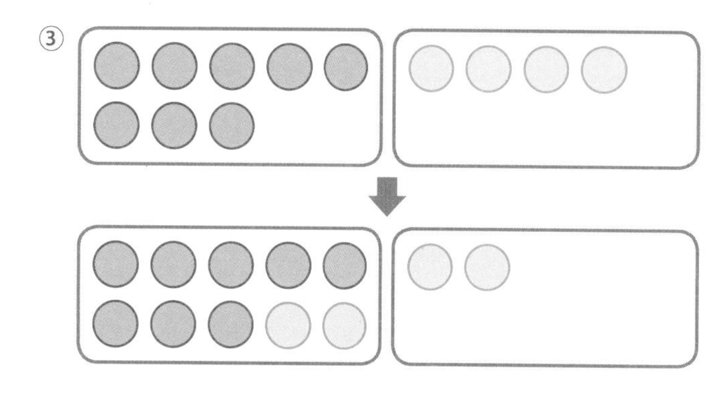

8 + 4 =

## 알맞은 식을 쓰고 답을 구하세요.

④ 고운이는 색종이를 9장 가지고 있었는데 친구에게 3장을 더 받았습니다. 고운이가 가진 색종이는 몇 장일까요?

식 : ____________________ 답 : ____________

⑤ 올해 두리는 6살이고, 형은 두리보다 7살 더 많습니다. 올해 형의 나이는 몇 살일까요?

식 : ____________________ 답 : ____________

⑥ 주아는 딸기 8개와 체리 4개를 먹었습니다. 주아가 먹은 딸기와 체리는 모두 몇 개일까요?

식 : ____________________ 답 : ____________

⑦ 할머니 댁에 강아지가 6마리 있는데 9마리가 더 태어났습니다. 할머니 댁에 있는 강아지는 몇 마리일까요?

식 : ____________________ 답 : ____________

# 확인학습

✎ 알맞은 식을 쓰고 답을 구하세요.

⑧ 공원에 미루나무 2그루, 소나무 9그루, 은행나무 4그루가 있습니다. 공원에 있는 나무는 모두 몇 그루일까요?

식 : ____________________ 답 : ____________

⑨ 희제는 붕어빵을 4개 먹었습니다. 붕어빵을 우빈이는 희제보다 4개 더 먹었고, 수하는 우빈이보다 3개 더 먹었습니다. 수하가 먹은 붕어빵은 몇 개일까요?

식 : ____________________ 답 : ____________

⑩ 민경이는 색연필을 9자루 가지고 있었는데 3자루를 상품으로 받고, 2자루를 더 샀습니다. 민경이가 가진 색연필은 몇 자루일까요?

식 : ____________________ 답 : ____________

⑪ 버스에 사람이 5명 타고 있었는데 정류장에서 6명이 더 타고, 다음 정류장에서도 6명이 더 탔습니다. 버스에 타고 있는 사람은 몇 명일까요?

식 : ____________________ 답 : ____________

3주차

# 받아내림 뺄셈

## 1일 받아내림

그림을 보고 빈칸에 알맞은 수를 써넣으세요.

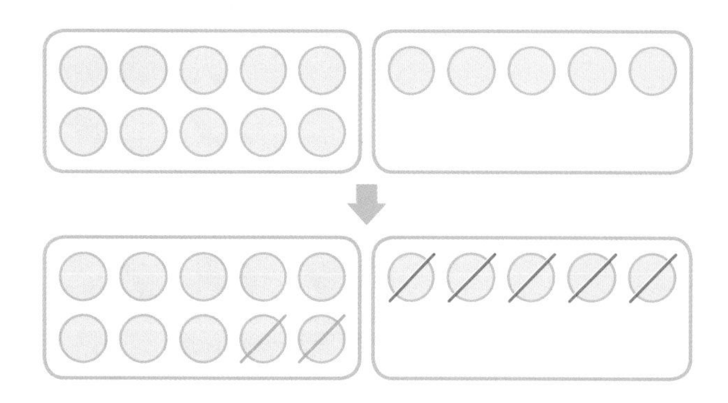

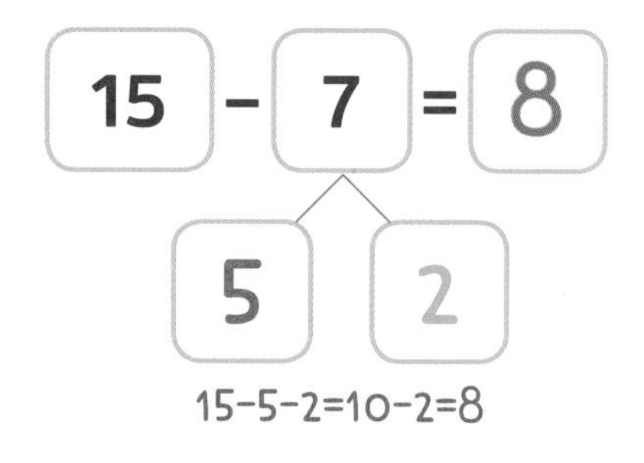


①

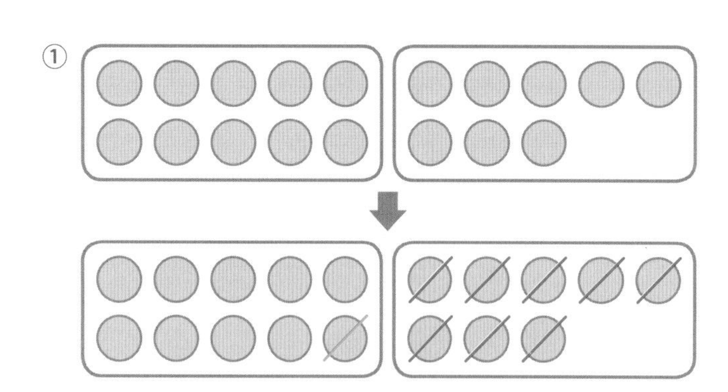

18 - 9 = [ ]

[ ] [ ]

②

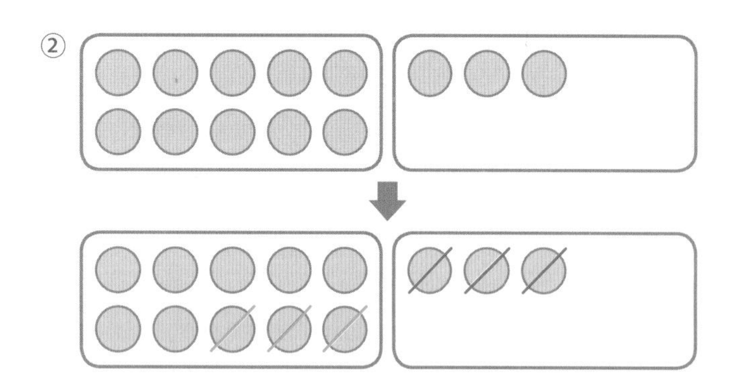

13 - 6 = [ ]

[ ] [ ]

그림을 보고 빈칸에 알맞은 수를 써넣으세요.

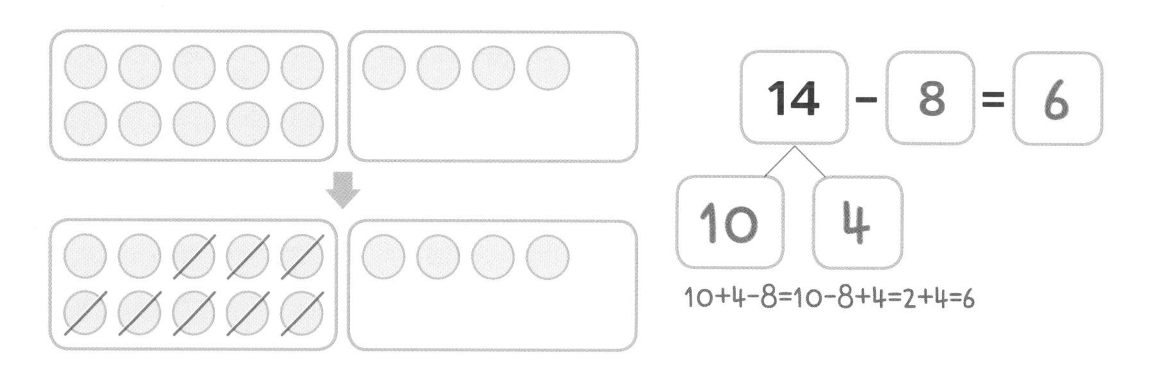


①

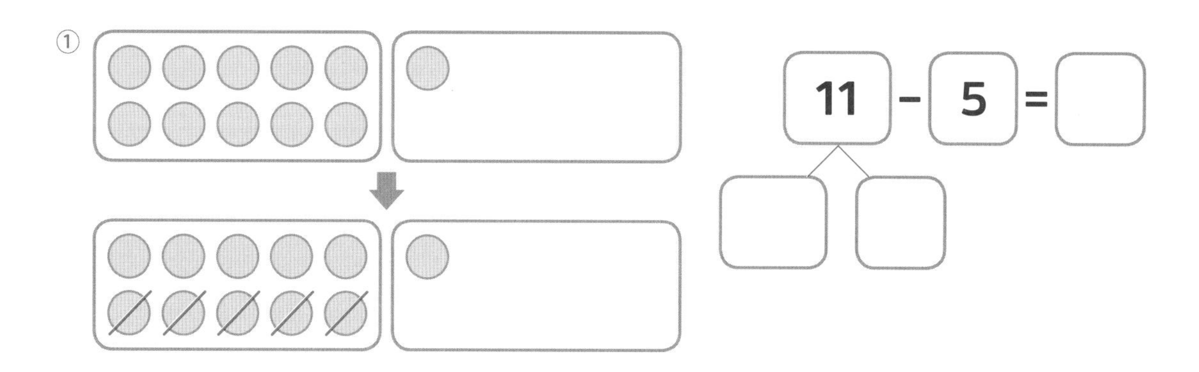


②

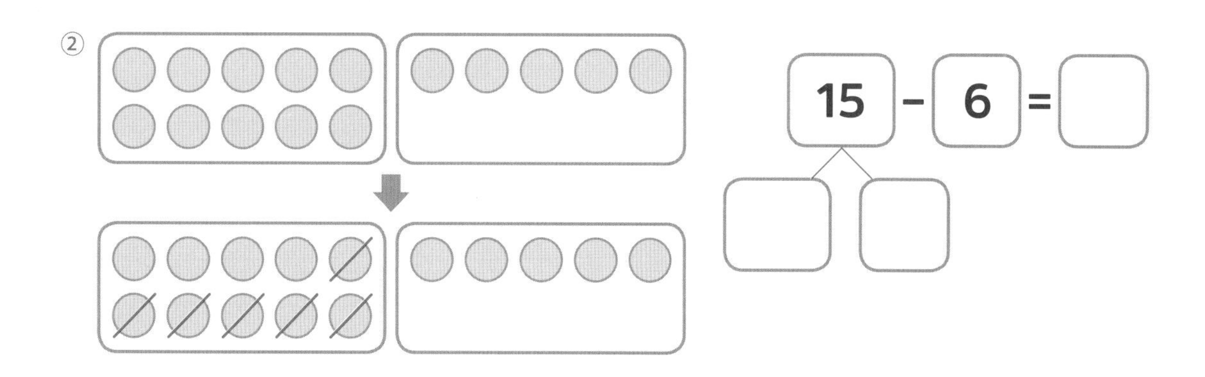

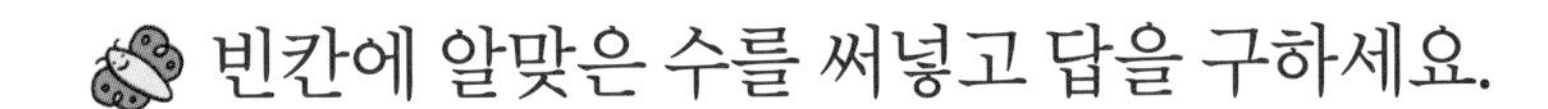

# 2일 줄어들면 얼마일까요

빈칸에 알맞은 수를 써넣고 답을 구하세요.

네리는 초콜릿을 13개 가지고 있었는데 8개를 먹었습니다. 남은 초콜릿은 몇 개일까요?

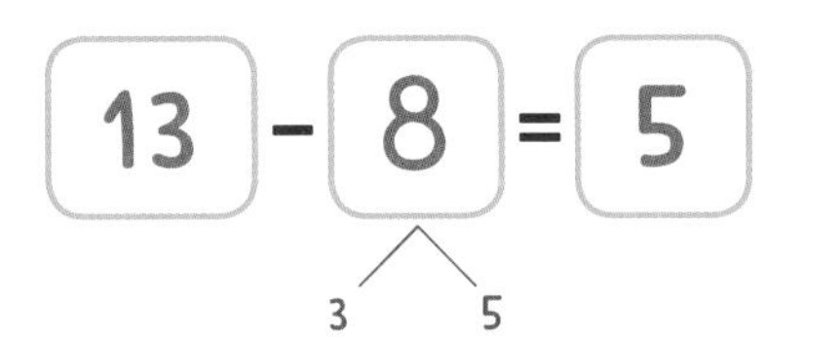


답 : 5개

① 극장 앞에 12명이 줄을 서 있었는데 8명이 줄어들었습니다. 줄을 서 있는 사람은 몇 명일까요?

☐ - ☐ = ☐　　답 : ______

② 시민이는 소설책 15권 중 6권을 다 읽었습니다. 시민이가 읽지 않은 소설책은 몇 권일까요?

☐ - ☐ = ☐　　답 : ______

③ 옷장에 옷이 17벌 있었는데 엄마가 옷장을 정리하면서 9벌을 버렸습니다. 옷장에 남은 옷은 몇 벌일까요?

☐ - ☐ = ☐　　답 : ______

 알맞은 식을 쓰고 답을 구하세요.

큰아버지 댁에 새끼 고양이가 12마리 태어났는데 4마리를 다른 집에 보냈습니다. 남은 새끼 고양이는 몇 마리일까요?

식 : 12-4=8　　　　답 : 8마리

(태어난 고양이)-(보낸 고양이)=(남은 고양이)

① 예진이는 공깃돌을 16개 가지고 있었는데 9개를 동생에게 주었습니다. 예진이에게 남은 공깃돌은 몇 개일까요?

식 : ____________　　　　답 : ________

② 민성이는 스티커를 12장 가지고 있었는데 7장을 공책에 붙였습니다. 민성이에게 남은 스티커는 몇 장일까요?

식 : ____________　　　　답 : ________

③ 자전거 가게에 자전거가 17대 있었는데 하루 동안 8대를 팔았습니다. 자전거 가게에 남은 자전거는 몇 대일까요?

식 : ____________　　　　답 : ________

# 3일 몇 작은 수는 얼마일까요

빈칸에 알맞은 수를 써넣고 답을 구하세요.

이수는 제자리뛰기를 11번 했고, 지훈이는 이수보다 9번 더 적게 했습니다. 지훈이는 제자리뛰기를 몇 번 했을까요?

답 : 2번

① 꽃밭에 튤립이 14송이 피어 있고, 해바라기는 튤립보다 8송이 더 적습니다. 꽃밭에 있는 해바라기는 몇 송이일까요?

☐ - ☐ = ☐ 답 : ______

② 호두과자를 수현이는 17개 먹었고, 동생은 수현이보다 9개 더 적게 먹었습니다. 동생이 먹은 호두과자는 몇 개일까요?

☐ - ☐ = ☐ 답 : ______

③ 동물원에 여우가 15마리 있고, 코요테는 여우보다 8마리 더 적습니다. 동물원에 있는 코요테는 몇 마리일까요?

☐ - ☐ = ☐ 답 : ______

## 알맞은 식을 쓰고 답을 구하세요.

볼펜을 종우는 12자루 가지고 있고, 상민이는 종우보다 5자루 더 적게 가지고 있습니다. 상민이가 가진 볼펜은 몇 자루일까요?

식 : 12-5=7　　　답 : 7자루

(종우의 볼펜)-(5자루)=(상민이의 볼펜)

① 교실에 안경을 쓴 학생이 16명 있고, 안경을 쓰지 않은 학생은 안경을 쓴 학생보다 8명 더 적습니다. 교실에 안경을 쓰지 않은 학생은 몇 명 있을까요?

식 : ＿＿＿＿＿＿　　　답 : ＿＿＿＿

② 천원 지폐를 엄마는 13장 가지고 있고, 기웅이는 엄마보다 7장 더 적게 가지고 있습니다. 기웅이가 가진 천원 지폐는 몇 장일까요?

식 : ＿＿＿＿＿＿　　　답 : ＿＿＿＿

③ 수연이는 머리끈을 11개 가지고 있고, 머리핀은 머리끈보다 8개 더 적게 가지고 있습니다. 수연이가 가진 머리핀은 몇 개일까요?

식 : ＿＿＿＿＿＿　　　답 : ＿＿＿＿

# 4일 어느 것이 몇 더 클까요

빈칸에 알맞은 수를 써넣고 답을 구하세요.

창주는 수영장에 15일 갔고, 상현이는 6일 갔습니다. 수영장에 더 많이 간 사람은 누구이고, 며칠 더 많이 갔을까요?

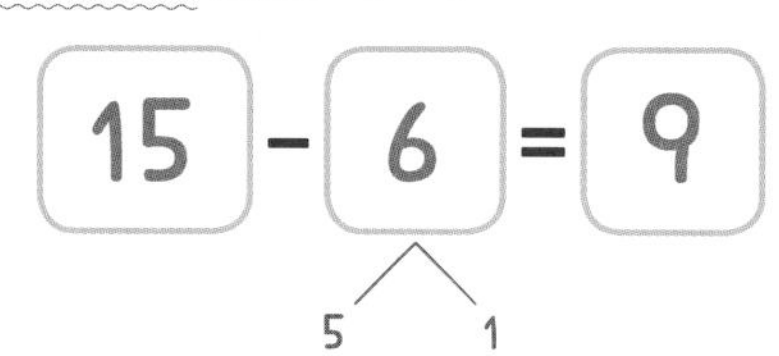


답 : 창주, 9일

① 농장에 소가 7마리, 돼지가 12마리 있습니다. 농장에 더 많이 있는 동물은 무엇이고, 몇 마리 더 많을까요?

□ - □ = □　　답 : ____________

② 운동장에 1반 학생이 9명, 2반 학생이 18명 있습니다. 운동장에 학생이 더 많은 반은 몇 반이고, 몇 명 더 많을까요?

□ - □ = □　　답 : ____________

③ 도서관에 그림책이 14권, 만화책이 8권 있습니다. 도서관에 더 많은 책은 무엇이고, 몇 권 더 많을까요?

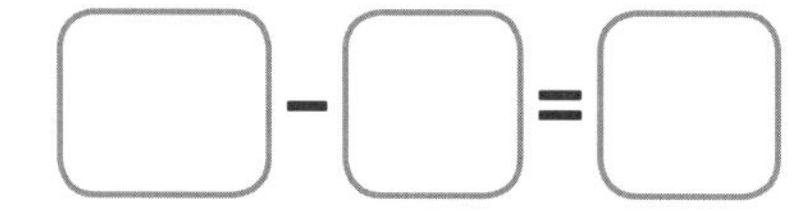


답 : ____________

 알맞은 식을 쓰고 답을 구하세요.

과일 바구니에 사과가 9개, 복숭아가 16개 있습니다. 바구니에 더 많은 과일은 무엇이고, 몇 개 더 많을까요?

식 : 16-9=7　　　답 : 복숭아, 7개

(복숭아)-(사과)=(복숭아와 사과의 차)

① 산책길에 소나무 15그루와 은행나무 8그루가 있습니다. 산책길에 더 많은 나무는 무엇이고, 몇 그루 더 많을까요?

식 : ______　　　답 : ______

② 올해 연우는 7살이고, 소희는 13살입니다. 나이가 더 많은 사람은 누구이고, 몇 살 더 많을까요?

식 : ______　　　답 : ______

③ 공사장에 트럭이 11대, 포크레인이 8대 있습니다. 공사장에 더 많은 차량은 무엇이고, 몇 대 더 많을까요?

식 : ______　　　답 : ______

# 5일 세 수 더하거나 빼기

❀ 빈칸에 알맞은 수를 써넣고 답을 구하세요.

미루가 가진 동전 15개 중 4개는 저금통에 넣었고, 8개는 썼습니다. 미루에게 남은 동전은 몇 개일까요?

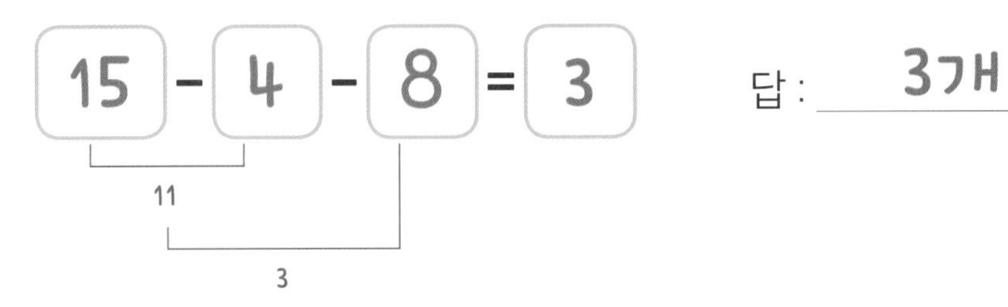


답 : 3개

① 버스에 16명이 타고 있었는데 정류장에서 9명이 내리고, 2명이 더 탔습니다. 버스에 타고 있는 사람은 몇 명일까요?

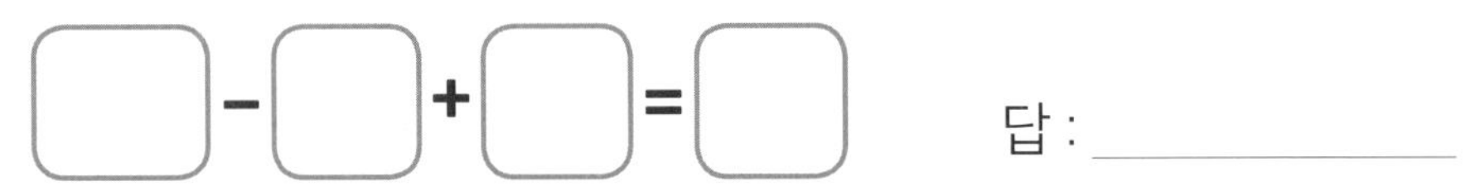

답 :

② 흰 우유 6잔, 딸기 우유 8잔과 주스 7잔이 있습니다. 우유는 주스보다 몇 잔 더 많을까요?

□ + □ - □ = □

답 :

③ 가인이는 연필을 14자루 가지고 있습니다. 볼펜은 연필보다 5자루 더 적고, 색연필은 볼펜보다 3자루 더 적습니다. 가인이가 가진 색연필은 몇 자루일까요?

□ - □ - □ = □

답 :

## 알맞은 식을 쓰고 답을 구하세요.

미주는 동화책 12권을 가지고 있었습니다. 다 읽은 동화책 3권은 학급 도서관에 주고, 5권을 더 샀습니다. 미주가 가진 동화책은 몇 권일까요?

식 : 12-3+5=14　　답 : 14권

(원래 가진 동화책)-(도서관에 준 동화책)+(더 산 동화책)=(미주가 가진 동화책)

① 정원에 단풍나무가 9그루 있습니다. 소나무는 단풍나무보다 4그루 더 많고, 은행나무는 소나무보다 8그루 더 적습니다. 정원에 있는 은행나무는 몇 그루일까요?

식 : ____________　　답 : ________

② 자전거 주차장에 자전거가 18대 있었는데 8대가 빠져 나가고, 다시 6대가 더 빠져 나갔습니다. 자전거 주차장에 남은 자전거는 몇 대일까요?

식 : ____________　　답 : ________

③ 로미는 올해 11살이고, 동생은 로미보다 7살 더 어립니다. 6년 후에 동생은 몇 살일까요?

식 : ____________　　답 : ________

# 확인학습

그림을 보고 빈칸에 알맞은 수를 써넣으세요.

①

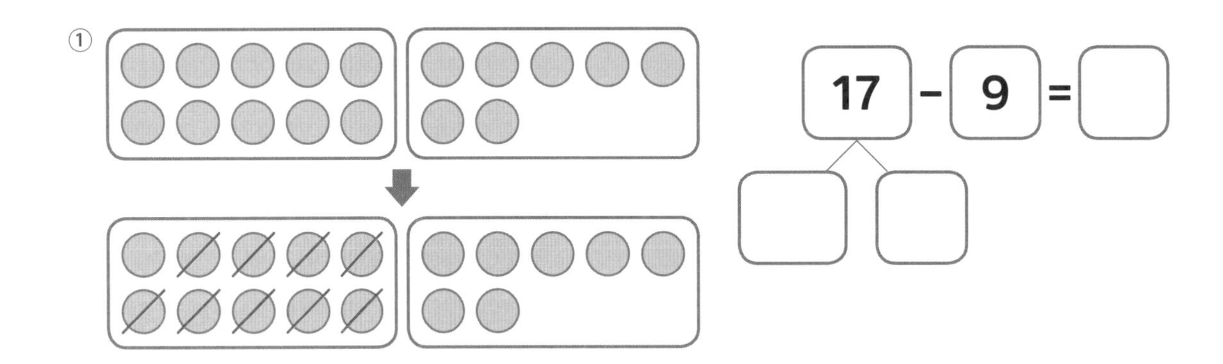


②

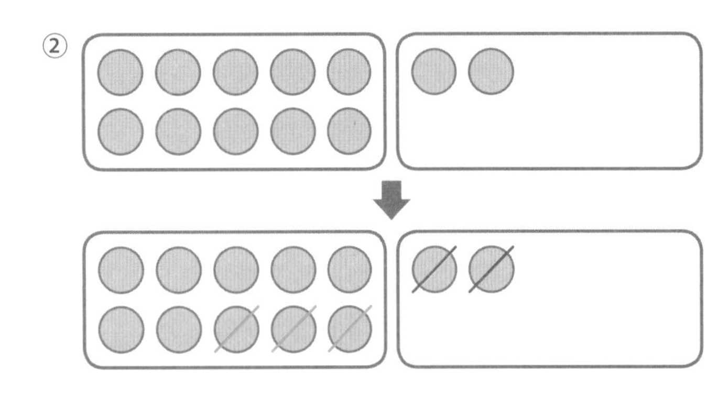

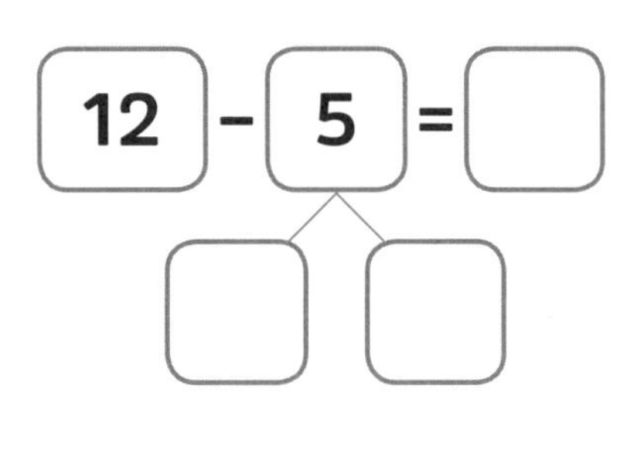


③

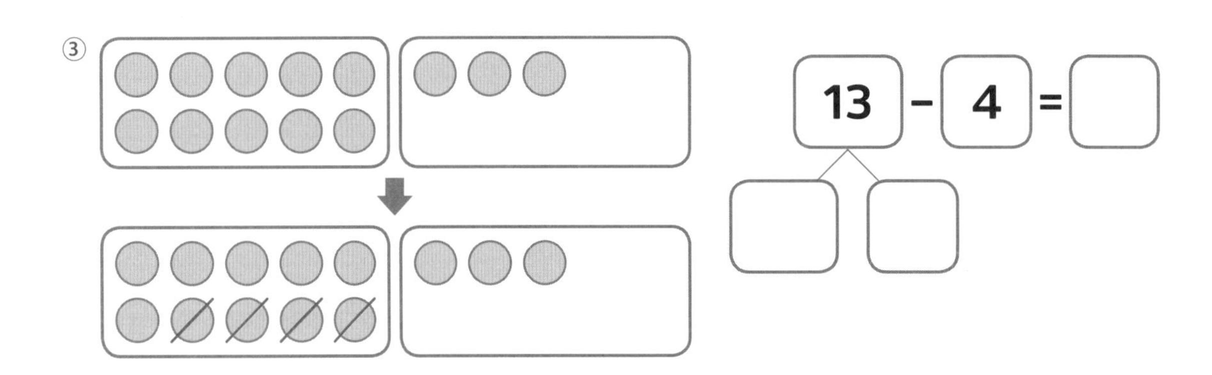

✎ 알맞은 식을 쓰고 답을 구하세요.

④ 아리가 장미 14송이를 사서 친구들에게 7송이를 나누어 주었습니다. 아리에게 남은 장미는 몇 송이일까요?

식 : ____________ 답 : ____________

⑤ 체육관에 여학생이 13명, 남학생이 9명 있습니다. 여학생과 남학생 중 누가 몇 명 더 많을까요?

식 : ____________ 답 : ____________

⑥ 누나는 올해 12살이고, 한솔이는 누나보다 4살 더 적습니다. 한솔이는 올해 몇 살일까요?

식 : ____________ 답 : ____________

⑦ 공원에 버드나무가 18그루 있었는데 9그루를 다른 곳으로 옮겨 심었습니다. 공원에 남은 버드나무는 몇 그루일까요?

식 : ____________ 답 : ____________

# 확인학습

알맞은 식을 쓰고 답을 구하세요.

⑧ 빨간색 색연필이 5자루, 파란색 색연필이 7자루 있고, 볼펜이 9자루 있습니다. 색연필은 볼펜보다 몇 자루 더 많을까요?

식 : ______________ 답 : ______________

⑨ 호진이는 우표를 17장 가지고 있었습니다. 우표 8장은 편지에 붙이고, 2장은 잃어버렸습니다. 호진이가 가진 우표는 몇 장일까요?

식 : ______________ 답 : ______________

⑩ 매표소 앞에 13명이 줄을 서 있었습니다. 줄을 서 있던 사람 중 4명이 줄고, 6명이 새로 왔습니다. 매표소 앞에 줄을 서 있는 사람은 몇 명일까요?

식 : ______________ 답 : ______________

⑪ 지연이는 밤을 3개 땄습니다. 도토리는 밤보다 9개 더 많이 땄고, 대추는 도토리보다 6개 더 적게 땄습니다. 지연이가 딴 대추는 몇 개일까요?

식 : ______________ 답 : ______________

4주차

# 덧뺄셈 관계

## 1일 한 가족 식

똑같은 세 수로 이루어진 덧셈식과 뺄셈식을 만들어 보세요.

5 + 6 = 11

6 + 5 = 11

더하는 두 수를 바꾸어도 합이 같아요.

11 − 6 = 5

11 − 5 = 6

빼는 수와 차를 바꾸어도 빼지는 수가 같아요.

① 8 + 4 = 12 → □ + □ = □

12 − 4 = 8 → □ − □ = □

② 6 + 7 = 13 → □ − □ = □

7 + 6 = 13 → □ − □ = □

③ 9 + 7 = 16 → □ − □ = □

7 + 9 = 16 → □ − □ = □

주어진 식과 한 가족인 식을 모두 찾아 빈 곳에 써넣으세요.

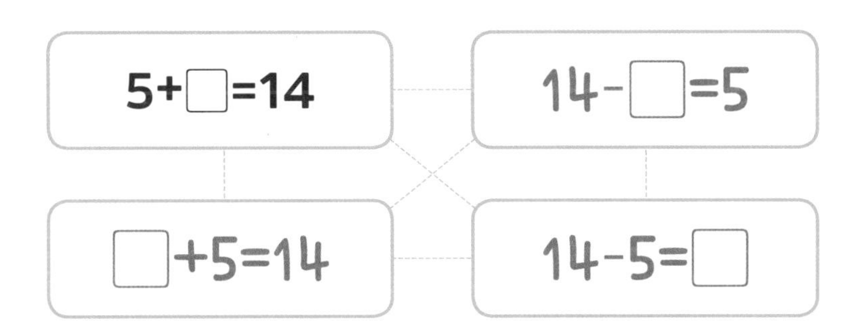


①

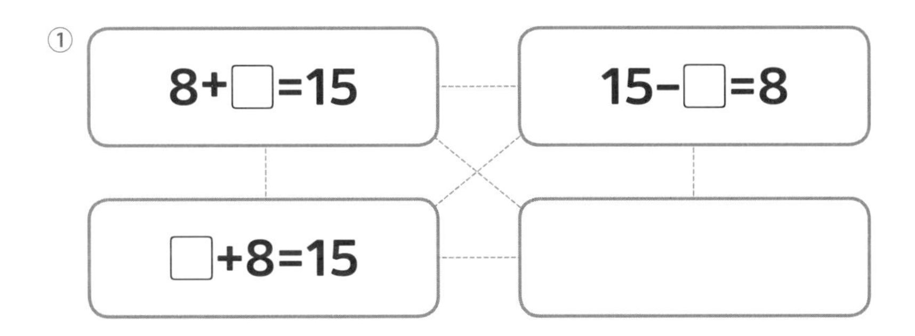


②

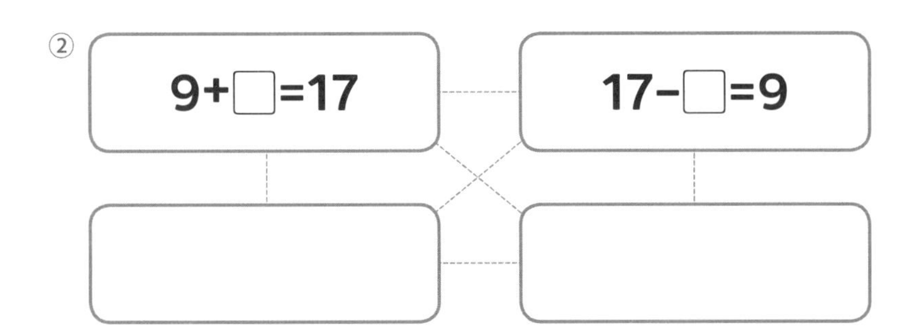


③

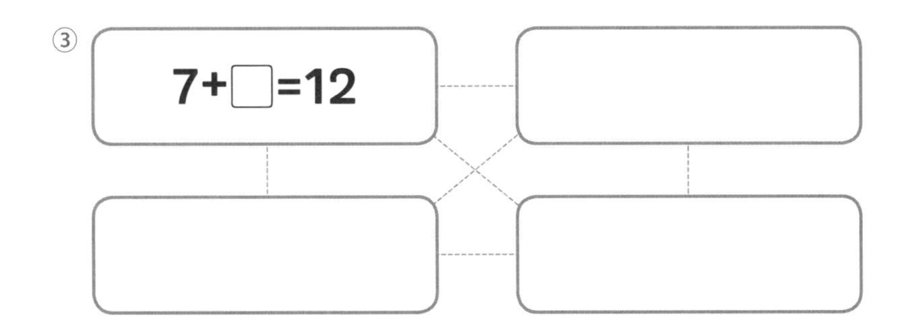

# 2일 어떤 수 더하기

네모가 있는 덧셈식과 한 가족 뺄셈식을 이용하여 물음에 답하세요.

어떤 수 더하기 7은 14입니다. 어떤 수는 얼마일까요?

네모가 있는 덧셈식 : $\square+7=14$

한 가족 뺄셈식 : $14-7=\square$　　　답 : 7

① 어떤 수보다 9 큰 수는 12입니다. 어떤 수는 얼마일까요?

네모가 있는 덧셈식 : ____________

한 가족 뺄셈식 : ____________　　　답 : ______

② 어떤 수와 5의 합은 11입니다. 어떤 수는 얼마일까요?

네모가 있는 덧셈식 : ____________

한 가족 뺄셈식 : ____________　　　답 : ______

 네모가 있는 식을 쓰고 답을 구하세요.

강당에 학생들이 몇 명 있었는데 8명이 더 와서 14명이 되었습니다. 원래 강당에 있던 학생들은 몇 명일까요?

식 : $\square+8=14$ 답 : 6명

$14-8=\square$

① 사과 몇 개와 복숭아 5개를 모았더니 과일이 모두 12개가 되었습니다. 사과는 몇 개일까요?

식 : __________ 답 : ________

② 책장에 그림책이 몇 권 있었는데 4권을 더 꽂았더니 12권이 되었습니다. 원래 책장에 있던 그림책은 몇 권일까요?

식 : __________ 답 : ________

③ 화단에 장미 몇 송이가 피어 있었는데 2송이가 더 펴서 11송이가 되었습니다. 원래 화단에 피어 있던 장미는 몇 송이일까요?

식 : __________ 답 : ________

## 3일 더하기 어떤 수

네모가 있는 덧셈식과 한 가족 뺄셈식을 이용하여 물음에 답하세요.

6보다 어떤 수만큼 큰 수는 15입니다. 어떤 수는 얼마일까요?

네모가 있는 덧셈식 : $6+\square=15$

$\square+6=15$

한 가족 뺄셈식 : $15-6=\square$ 답 : 9

① 7과 어떤 수의 합은 14입니다. 어떤 수는 얼마일까요?

네모가 있는 덧셈식 : ____________

한 가족 뺄셈식 : ____________ 답 : ______

② 8 더하기 어떤 수는 13입니다. 어떤 수는 얼마일까요?

네모가 있는 덧셈식 : ____________

한 가족 뺄셈식 : ____________ 답 : ______

## 네모가 있는 식을 쓰고 답을 구하세요.

빨간 사과 3개와 초록 사과 몇 개가 있습니다. 사과가 모두 11개일 때 초록 사과는 몇 개일까요?

식 : 3+□=11　　　답 : 8개

11-3=□

① 연희는 셔츠를 9벌 가지고 있었는데 몇 벌 더 사서 15벌이 되었습니다. 연희가 더 산 셔츠는 몇 벌일까요?

식 : ______　　　답 : ______

② 단풍나무 5그루와 은행나무 몇 그루가 있습니다. 두 나무가 모두 14그루일 때 은행나무는 몇 그루일까요?

식 : ______　　　답 : ______

③ 운동장에 주차된 자동차는 8대였는데 몇 대가 더 와서 12대가 되었습니다. 운동장에 더 온 자동차는 몇 대일까요?

식 : ______　　　답 : ______

# 4일 어떤 수 빼기

네모가 있는 뺄셈식과 한 가족 덧셈식을 이용하여 물음에 답하세요.

4보다 큰 어떤 수와 4의 차는 8입니다. 어떤 수는 얼마일까요?

네모가 있는 뺄셈식 : $\square-4=8$

한 가족 덧셈식 : $8+4=\square$

답 : 12

① 어떤 수 빼기 9는 5입니다. 어떤 수는 얼마일까요?

네모가 있는 뺄셈식 : ______

한 가족 덧셈식 : ______

답 : ______

② 어떤 수보다 6 작은 수는 5입니다. 어떤 수는 얼마일까요?

네모가 있는 뺄셈식 : ______

한 가족 덧셈식 : ______

답 : ______

 네모가 있는 식을 쓰고 답을 구하세요.

꽃 가게에 있는 국화는 장미보다 8송이 더 적은 7송이입니다. 꽃 가게에 있는 장미는 몇 송이일까요?

식 : □-8=7　　답 : 15송이

7+8=□

① 냉장고에 있는 귤 중 4개를 먹었더니 9개가 남았습니다. 원래 냉장고에 있던 귤은 몇 개일까요?

식 : ____________　　답 : ________

② 올해 동생은 아현이보다 7살 더 적은 4살입니다. 올해 아현이의 나이는 몇 살일까요?

식 : ____________　　답 : ________

③ 탁자 위에 있던 우유 5잔을 친구들과 함께 마셨더니 7잔이 남았습니다. 원래 탁자 위에 있던 우유는 몇 잔일까요?

식 : ____________　　답 : ________

# 5일 빼기 어떤 수

네모가 있는 뺄셈식과 한 가족 뺄셈식을 이용하여 물음에 답하세요.

17 빼기 어떤 수는 9입니다. 어떤 수는 얼마일까요?

네모가 있는 뺄셈식 : $17-\square=9$

한 가족 뺄셈식 : $17-9=\square$ 답 : 8

① 15보다 어떤 수만큼 작은 수는 6입니다. 어떤 수는 얼마일까요?

네모가 있는 뺄셈식 : ______

한 가족 뺄셈식 : ______ 답 : ______

② 14와 14보다 작은 어떤 수의 차는 7입니다. 어떤 수는 얼마일까요?

네모가 있는 뺄셈식 : ______

한 가족 뺄셈식 : ______ 답 : ______

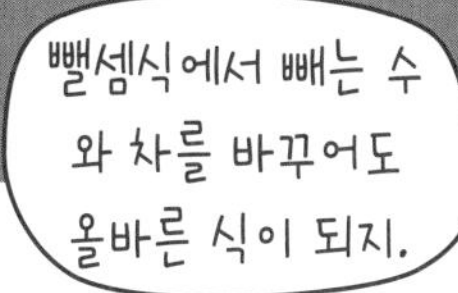

## 네모가 있는 식을 쓰고 답을 구하세요.

우유 12잔이 있었는데 몇 잔을 마셨더니 남은 우유는 4잔이 되었습니다. 마신 우유는 몇 잔일까요?

식 : 12−□=4　　　답 : 8잔

12−4=□

① 빨강 색종이는 15장 있고, 파랑 색종이는 빨강 색종이보다 몇 장 더 적은 8장입니다. 파랑 색종이는 빨강 색종이보다 몇 장 더 적을까요?

식 : ______　　　답 : ______

② 지우는 사탕 13개를 가지고 있었는데 몇 개를 먹고 남은 사탕이 6개입니다. 지우가 먹은 사탕은 몇 개일까요?

식 : ______　　　답 : ______

③ 세란이는 나비 12마리를 잡아서 몇 마리를 풀어주고 9마리가 남았습니다. 세란이가 풀어준 나비는 몇 마리일까요?

식 : ______　　　답 : ______

# 확인학습

주어진 식과 한 가족인 식을 모두 찾아 빈 곳에 써넣으세요.

①

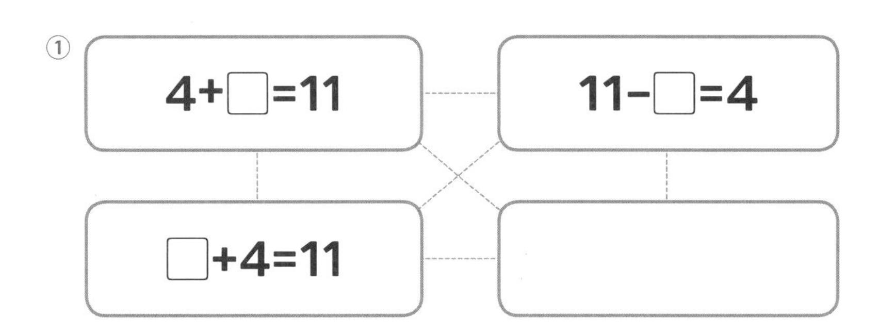


②

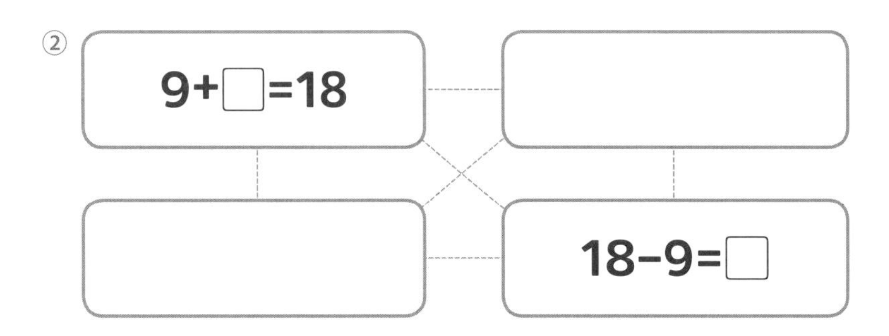


③

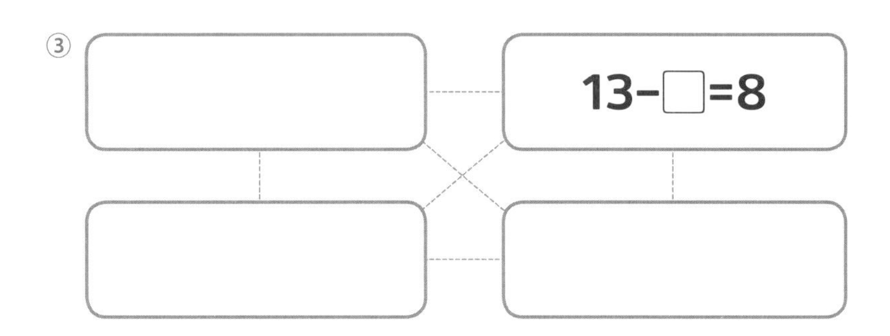


④

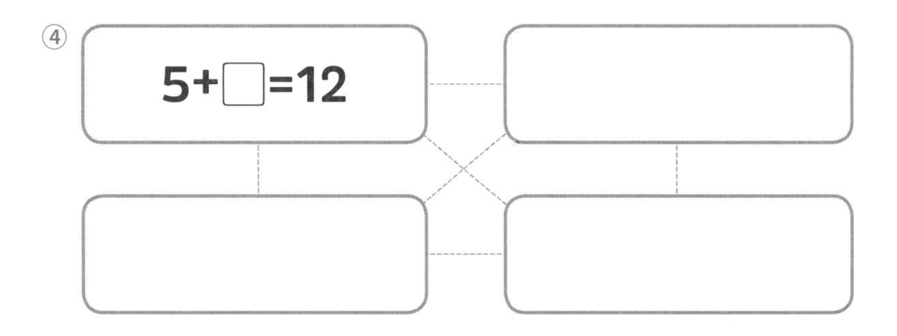

## 네모가 있는 식을 쓰고 답을 구하세요.

⑤ 서점에 여학생 7명과 남학생 몇 명이 있습니다. 서점에 있는 학생은 모두 13명일 때 남학생은 몇 명일까요?

식 : ____________ 답 : ____________

⑥ 소현이는 연필 몇 자루를 가지고 있었는데 친구에게 선물로 3자루를 더 받아서 12자루가 되었습니다. 소현이가 원래 가지고 있던 연필은 몇 자루일까요?

식 : ____________ 답 : ____________

⑦ 지우는 팔굽혀펴기를 7번 했고, 명수는 지우보다 몇 번 더 많은 15번 했습니다. 명수는 지우보다 팔굽혀펴기를 몇 번 더 많이 했을까요?

식 : ____________ 답 : ____________

⑧ 봉지에 단팥빵 몇 개와 슈크림빵 9개가 들어 있습니다. 봉지에 들어 있는 빵은 모두 13개일 때 단팥빵은 몇 개일까요?

식 : ____________ 답 : ____________

# 확인학습

✎ 네모가 있는 식을 쓰고 답을 구하세요.

⑨ 창고에 있던 타일 중 6장을 욕실 벽에 붙였더니 8장이 남았습니다. 원래 창고에 있던 타일은 몇 장일까요?

식 : ______________ 답 : ______________

⑩ 자전거 가게에 세발 자전거는 두발 자전거보다 9대 더 적은 9대 있습니다. 자전거 가게에 있는 두발 자전거는 몇 대일까요?

식 : ______________ 답 : ______________

⑪ 놀이터에 은행나무가 15그루 있었는데 몇 그루를 옮겨 심었더니 9그루가 남았습니다. 옮겨 심은 은행나무는 몇 그루일까요?

식 : ______________ 답 : ______________

⑫ 지민이에게 바지가 14벌 있었는데 동생에게 몇 벌 물려주고 5벌 남았습니다. 지민이가 동생에게 물려준 바지는 몇 벌일까요?

식 : ______________ 답 : ______________

# 진단평가

진단평가에는 앞에서 학습한 4주차의 문장제 활동이 순서대로 나옵니다. 잘못 푼 문제가 있으면 몇 주차인지 확인하여 반드시 한 번 더 복습해 봅니다.

| | |
|---|---|
| 1주차 | 3주차 |
| 2주차 | 4주차 |

# 진단평가

## ✎ 알맞은 식을 쓰고 답을 구하세요.

① 들판에 제비꽃이 2송이 피어 있었습니다. 어느 날 제비꽃 5송이가 더 피고, 다음 날 2송이가 더 피었습니다. 들판에 핀 제비꽃은 모두 몇 송이일까요?

식 : ____________ 답 : ____________

② 공사장에 포크레인이 1대 있습니다. 불도저는 포크레인보다 3대 더 많고, 트럭은 불도저보다 4대 더 많습니다. 공사장에 있는 트럭은 몇 대일까요?

식 : ____________ 답 : ____________

## ✎ 알맞은 식을 쓰고 답을 구하세요.

③ 주희의 생일 파티에서 친구들이 우유 3잔, 주스 9잔, 식혜 2잔을 마셨습니다. 친구들이 마신 음료수는 모두 몇 잔일까요?

식 : ____________ 답 : ____________

④ 옷장에 치마가 5벌 있습니다. 바지는 치마보다 6벌 더 많고, 셔츠는 바지보다 8벌 더 많습니다. 옷장에 있는 셔츠는 몇 벌일까요?

식 : ____________ 답 : ____________

| | 월 일 |
|---|---|
| 제한 시간 | 10분 |
| 맞은 개수 | / 8개 |

✎ 알맞은 식을 쓰고 답을 구하세요.

⑤ 빨간색 색종이가 7장, 파란색 색종이가 15장 있습니다. 더 많은 색종이는 무슨 색깔이고, 몇 장 더 많을까요?

식 : ______________ 답 : ______________

⑥ 정원에 수선화 8송이와 국화 17송이가 피어 있습니다. 더 많은 꽃은 무엇이고, 몇 송이 더 많을까요?

식 : ______________ 답 : ______________

✎ 네모가 있는 식을 쓰고 답을 구하세요.

⑦ 빵 가게에 머핀이 6개 있었는데 몇 개를 더 만들어서 11개가 되었습니다. 빵 가게에서 더 만든 머핀은 몇 개일까요?

식 : ______________ 답 : ______________

⑧ 상현이는 우표를 8장 가지고 있었는데 몇 장 더 모아서 15장이 되었습니다. 상현이가 더 모은 우표는 몇 장일까요?

식 : ______________ 답 : ______________

2회차 진단평가

## ✎ 알맞은 식을 쓰고 답을 구하세요.

① 교실에 학생 9명이 있었는데 2명이 나가고, 다시 2명이 더 나갔습니다. 교실에 남은 학생은 몇 명일까요?

식 : ____________ 답 : ____________

② 기준이는 동전을 6개 가지고 있었는데 3개를 저금통에 넣고, 1개는 썼습니다. 기준이에게 남은 동전은 몇 개일까요?

식 : ____________ 답 : ____________

## ✎ 그림을 보고 빈칸에 알맞은 수를 써넣으세요.

③

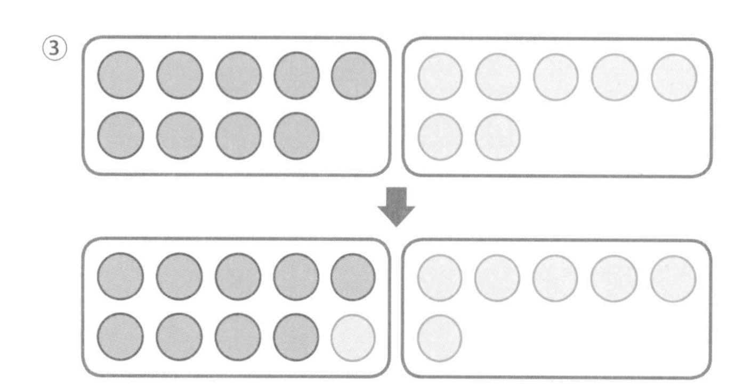

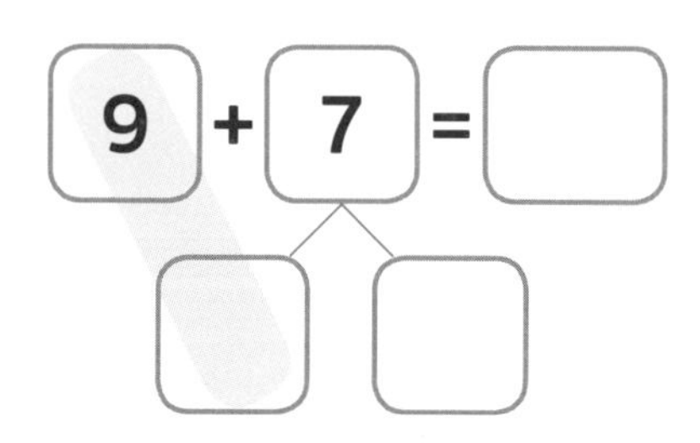


④

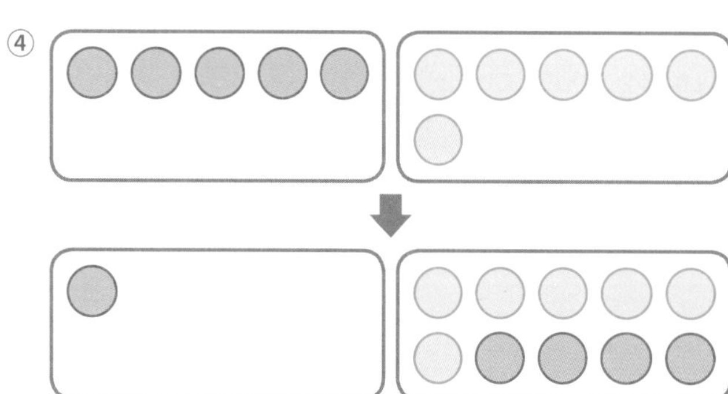

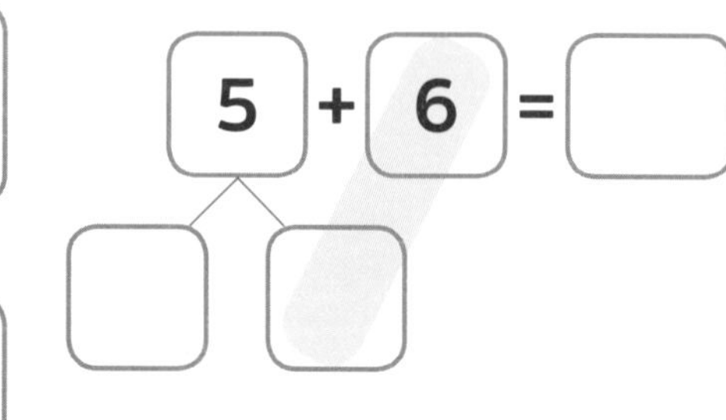

| 월 일 | |
|---|---|
| 제한 시간 | 10분 |
| 맞은 개수 | / 8개 |

## 알맞은 식을 쓰고 답을 구하세요.

⑤ 소민이는 12쪽짜리 연산책을 풉니다. 어제는 6쪽 풀었고, 오늘은 5쪽 풀었습니다. 남은 연산책은 몇 쪽일까요?

식 : ______________ 답 : ______________

⑥ 연못에 올챙이가 15마리 있었습니다. 올챙이 7마리는 개구리가 되었고, 2마리가 새로 태어났습니다. 연못에 있는 올챙이는 몇 마리일까요?

식 : ______________ 답 : ______________

## 네모가 있는 식을 쓰고 답을 구하세요.

⑦ 바닷가에 있던 펭귄 5마리가 물 속으로 들어가고 8마리가 남았습니다. 원래 바닷가에 있던 펭귄은 몇 마리일까요?

식 : ______________ 답 : ______________

⑧ 현준이가 수학 문제집을 3쪽 풀고 8쪽이 남았습니다. 수학 문제집은 모두 몇 쪽일까요?

식 : ______________ 답 : ______________

3회차 진단평가

□가 있는 덧셈식을 쓰고 답을 구하세요.

① 냉장고에 달걀 7개가 있었는데 몇 개를 더 넣었더니 10개가 되었습니다. 냉장고에 더 넣은 달걀은 몇 개일까요?

식 : ______________ 답 : __________

② 가연이네 집에는 고양이를 기르고 있었는데 새끼 5마리가 더 태어나 고양이는 모두 10마리가 되었습니다. 가연이네 집에서 원래 기르고 있던 고양이는 몇 마리일까요?

식 : ______________ 답 : __________

알맞은 식을 쓰고 답을 구하세요.

③ 봉지에 귤이 8개 들어 있었는데 9개를 더 넣었습니다. 봉지에 있는 귤은 모두 몇 개일까요?

식 : ______________ 답 : __________

④ 꽃밭에 나팔꽃이 4송이 피어 있었는데 8송이가 더 피었습니다. 꽃밭에 핀 나팔꽃은 몇 송이일까요?

식 : ______________ 답 : __________

✎ 그림을 보고 빈칸에 알맞은 수를 써넣으세요.

⑤
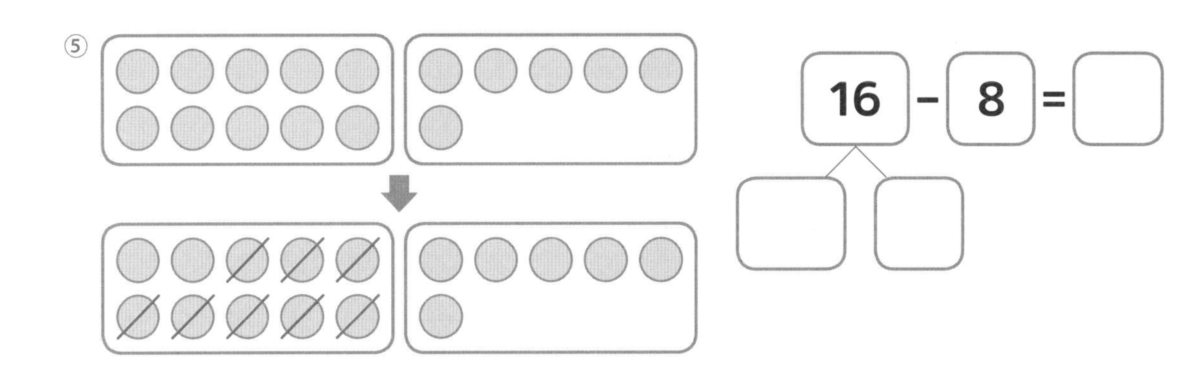


⑥
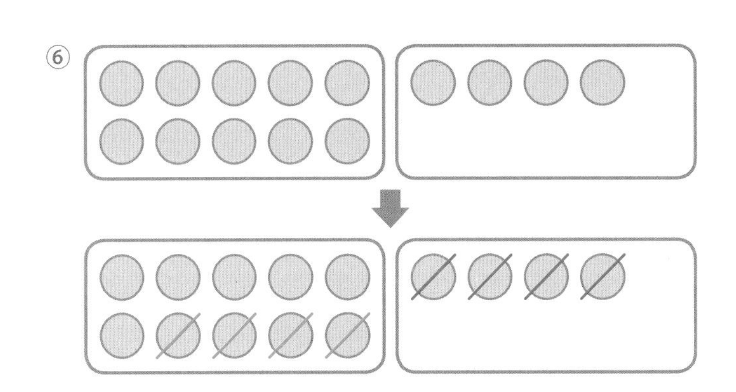
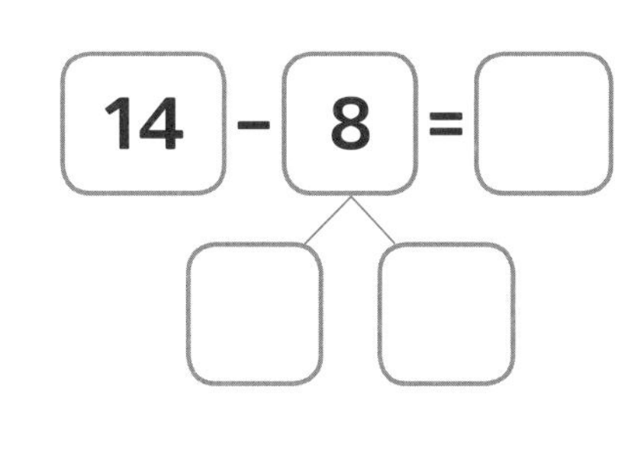


✎ 네모가 있는 식을 쓰고 답을 구하세요.

⑦ 미주는 동전 11개를 가지고 있었는데 몇 개를 저금하고 3개 남았습니다. 미주가 저금한 동전은 몇 개일까요?

식 : ____________ 답 : ____________

⑧ 책장에 동화책이 12권 있고, 그림책은 동화책보다 몇 권 더 적은 7권입니다. 그림책은 동화책보다 몇 권 더 적을까요?

식 : ____________ 답 : ____________

4회차

# 진단평가

## 뺄셈식 또는 □가 있는 뺄셈식을 쓰고 답을 구하세요.

① 세미가 가진 연필 10자루 중 몇 자루는 다 쓰고 6자루가 남았습니다. 세미가 다 쓴 연필은 몇 자루일까요?

식 : ____________________ 답 : ______________

② 바구니에 사탕 10개와 초콜릿 3개가 들어있습니다. 사탕은 초콜릿보다 몇 개 더 많을까요?

식 : ____________________ 답 : ______________

## 알맞은 식을 쓰고 답을 구하세요.

③ 탁자 위에 주스가 8잔 있고, 우유는 주스보다 8잔 더 많습니다. 탁자 위에 있는 우유는 몇 잔일까요?

식 : ____________________ 답 : ______________

④ 서랍 안에 볼펜이 4자루 있고, 연필은 볼펜보다 7자루 더 많습니다. 서랍 안에 있는 연필은 몇 자루일까요?

식 : ____________________ 답 : ______________

## 알맞은 식을 쓰고 답을 구하세요.

⑤ 냉장고에 귤이 15개 있었는데 6개를 먹었습니다. 냉장고에 남은 귤은 몇 개일까요?

식 : ______________ 답 : ______________

⑥ 테이블 위에 우유가 11잔 있었는데 친구들이 5잔을 마셨습니다. 테이블 위에 남은 우유는 몇 잔일까요?

식 : ______________ 답 : ______________

## 주어진 식과 한 가족인 식을 모두 찾아 빈 곳에 써넣으세요.

⑦

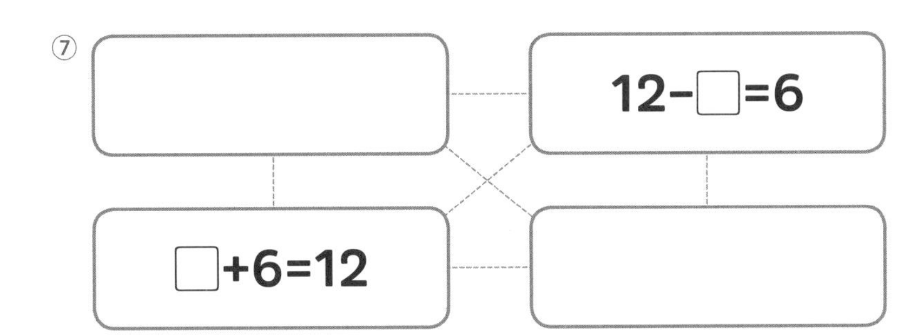


⑧

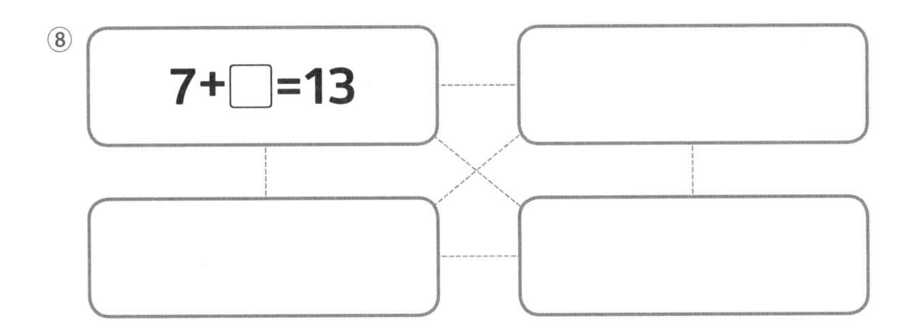

# 5회차 진단평가

✎ 알맞은 식을 쓰고 답을 구하세요.

① 농장에 돼지가 7마리, 소가 3마리, 오리가 5마리 있습니다. 농장에 있는 동물은 모두 몇 마리일까요?

식 : ____________ 답 : ____________

② 형우는 구슬을 3개 가지고 있습니다. 구슬을 민석이는 형우보다 6개 더 가지고 있고, 지현이는 민석이보다 4개 더 가지고 있습니다. 지현이가 가진 구슬은 몇 개일까요?

식 : ____________ 답 : ____________

✎ 알맞은 식을 쓰고 답을 구하세요.

③ 수빈이는 노랑 색종이를 7장, 파랑 색종이를 9장 가지고 있습니다. 수빈이가 가진 색종이는 모두 몇 장일까요?

식 : ____________ 답 : ____________

④ 정원에 해바라기 5송이와 국화 8송이가 피어 있습니다. 정원에 핀 꽃은 모두 몇 송이일까요?

식 : ____________ 답 : ____________

| 월 일 |
| --- |
| 제한 시간 10분 |
| 맞은 개수 / 8개 |

## 알맞은 식을 쓰고 답을 구하세요.

⑤ 효민이는 봉사 활동을 13일 갔고, 수혁이는 효민이보다 봉사 활동을 6일 더 적게 갔습니다. 수혁이가 봉사 활동을 간 날은 며칠일까요?

식 : ____________ 답 : ____________

⑥ 책장에 그림책이 16권 꽂혀 있고, 동화책은 그림책보다 7권 더 적습니다. 책장에 있는 동화책은 몇 권일까요?

식 : ____________ 답 : ____________

## 네모가 있는 식을 쓰고 답을 구하세요.

⑦ 전깃줄에 참새 몇 마리와 제비 6마리가 앉아 있습니다. 전깃줄에 앉아 있는 새는 모두 14마리일 때 참새는 몇 마리일까요?

식 : ____________ 답 : ____________

⑧ 동현이는 캐릭터 스티커 몇 장과 우주 스티커 8장을 합쳐 모두 15장 가지고 있습니다. 동현이가 가진 캐릭터 스티커는 몇 장일까요?

식 : ____________ 답 : ____________

Memo

하루 10분 서술형/문장제 학습지

씨투엠

# 수학 독해

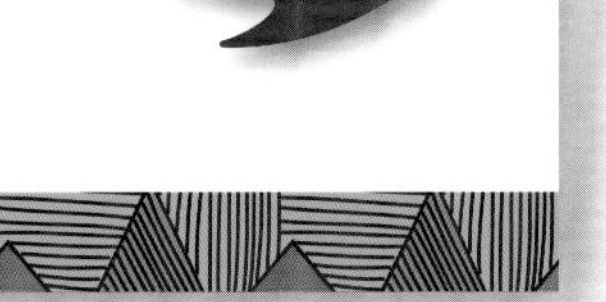


## A4 덧셈과 뺄셈 II

초1~초2

# 정답

**A4** 덧셈과 뺄셈 II

초1~초2

## P 06 ~ 07

### 1일 세 수의 덧셈

세 수를 더할 때는 순서대로 더하지 않아도 돼.

그림을 식으로 나타내고 계산해 보세요.

3 + 3 + 2 = 8 (3+3=6, 6+2=8)

① 4 + 1 + 4 = 9 (4+1=5, 5+4=9)

② 1 + 2 + 4 = 7 (1+2=3, 3+4=7)

알맞은 식을 쓰고 답을 구하세요.

우리에 코끼리 2마리, 코뿔소 2마리, 기린 3마리가 있습니다. 우리에 있는 동물은 모두 몇 마리일까요?

식 : 2+2+3=7 답 : 7마리

(코끼리)+(코뿔소)+(기린)=(우리에 있는 동물)

① 봉지에 사과가 4개, 오렌지가 1개, 자두가 1개 들어 있습니다. 봉지에 있는 과일은 모두 몇 개일까요?

식 : 4+1+1=6 답 : 6개

② 하림이는 우표를 3장 가지고 있었는데 우표를 2장 더 얻고, 3장 더 샀습니다. 하림이가 가진 우표는 몇 장일까요?

식 : 3+2+3=8 답 : 8장

③ 지민이는 노트를 1권 가지고 있습니다. 노트를 아린이는 지민이보다 2권 더 가지고 있고, 혜림이는 아린이보다 6권 더 가지고 있습니다. 혜림이가 가진 노트는 몇 권일까요?

식 : 1+2+6=9 답 : 9권

6 A4-덧셈과 뺄셈 II　　　1주 10 만들기 7

## P 08 ~ 09

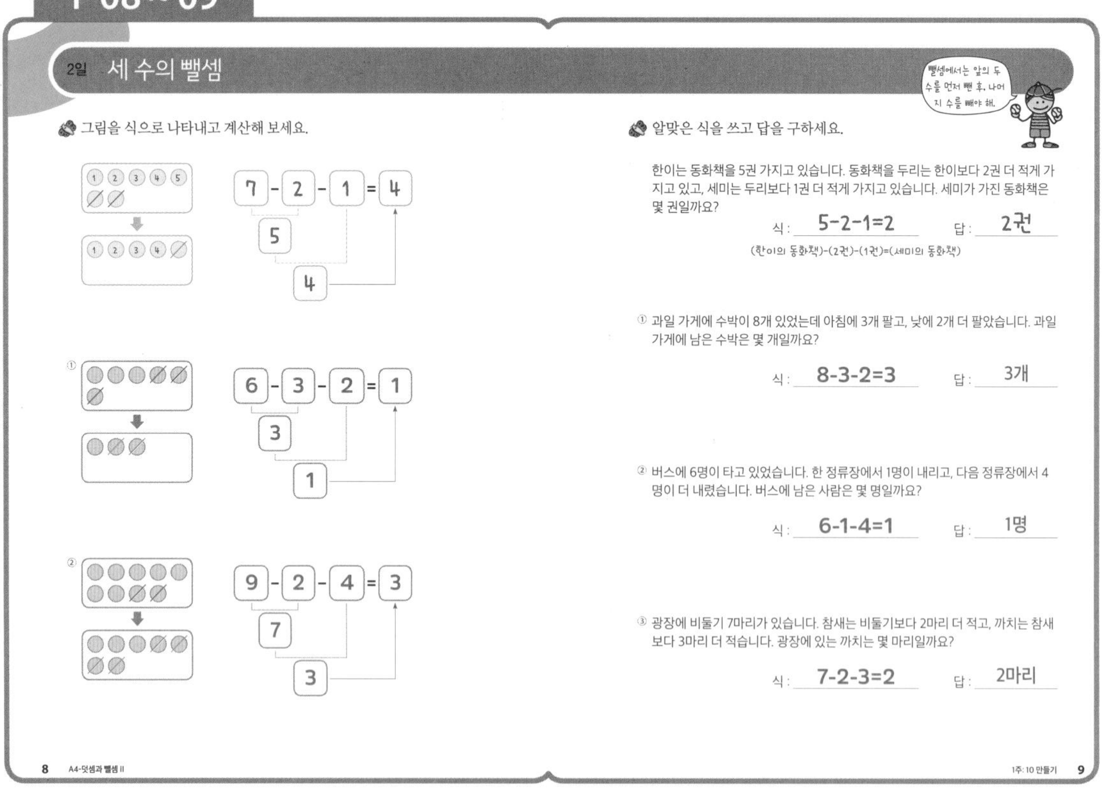

## P 10 ~ 11

### 3일 10이 되는 더하기

합이 10이 되는 더하기는 여러 번 계산하면서 외우는 게 좋아.

그림을 식으로 나타내고 계산해 보세요.

1 + 9 = 10

2 + 8 = 10

① 3 + 7 = 10

② 4 + 6 = 10

③ 5 + 5 = 10

④ 6 + 4 = 10

⑤ 7 + 3 = 10

⑥ 8 + 2 = 10

⑦ 9 + 1 = 10

덧셈식 또는 □가 있는 덧셈식을 쓰고 답을 구하세요.

공원에 은행나무 3그루와 소나무 몇 그루가 있습니다. 공원에 있는 은행나무와 소나무가 모두 10그루일 때 소나무는 몇 그루일까요?

식 : 3+□=10 답 : 7그루

(은행나무)+(소나무)=(은행나무와 소나무)

① 필통에 볼펜이 4자루 있고, 연필은 볼펜보다 6자루 더 많습니다. 필통에 있는 연필은 몇 자루일까요?

식 : 4+6=10 답 : 10자루

② 버스에 9명이 타고 있었는데 몇 명이 더 타서 10명이 되었습니다. 버스에 더 탄 사람은 몇 명일까요?

식 : 9+□=10 답 : 1명

③ 노랑 색종이 몇 장과 초록 색종이 2장을 모았더니 10장이 되었습니다. 노랑 색종이는 몇 장일까요?

식 : □+2=10 답 : 8장

10 A4-덧셈과 뺄셈 II 1주: 10 만들기 11

## P 12 ~ 13

### 4일 10에서 빼기

10이 되는 더하기와 10에서 빼기는 함께 외우면 더 쉬워.

그림을 식으로 나타내고 계산해 보세요.

10 - 1 = 9

10 - 2 = 8

① 10 - 3 = 7

② 10 - 4 = 6

③ 10 - 5 = 5

④ 10 - 6 = 4

⑤ 10 - 7 = 3

⑥ 10 - 8 = 2

⑦ 10 - 9 = 1

뺄셈식 또는 □가 있는 뺄셈식을 쓰고 답을 구하세요.

버스에 타고 있던 사람 중 8명이 내리고 2명이 남았습니다. 원래 버스에 타고 있던 사람은 몇 명일까요?

식 : □-8=2 답 : 10명

(원래 타고 있던 사람)-(내린 사람)=(남은 사람)

① 친구들이 음료수 10잔 중 몇 잔을 마시고 3잔이 남았습니다. 친구들이 마신 음료수는 몇 잔일까요?

식 : 10-□=3 답 : 7잔

② 은이는 딱풀을 10개 가지고 있고, 동생은 은이보다 4개 더 적게 가지고 있습니다. 동생이 가진 딱풀은 몇 개일까요?

식 : 10-4=6 답 : 6개

③ 우표 몇 장 중 5장을 편지에 붙였더니 5장이 남았습니다. 원래 있던 우표는 몇 장일까요?

식 : □-5=5 답 : 10장

12 A4-덧셈과 뺄셈 II 1주: 10 만들기 13

## P 14 ~ 15

### 5일 10 만들어 더하기

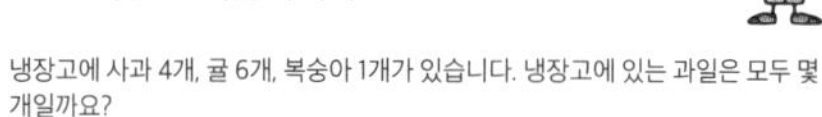


그림을 식으로 나타내고 계산해 보세요.

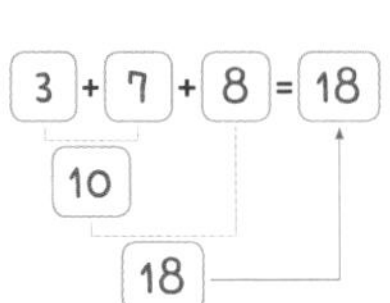

3 + 7 + 8 = 18, 10, 18

①

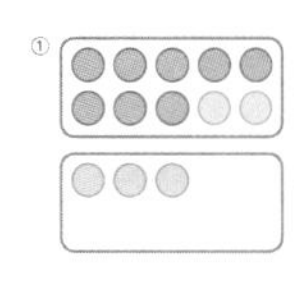

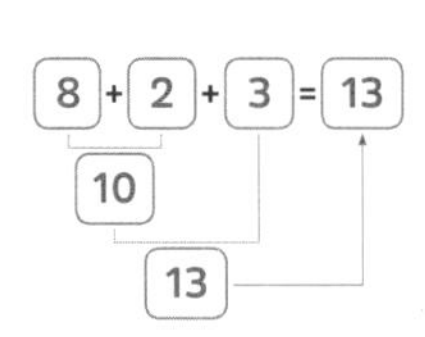

8 + 2 + 3 = 13, 10, 13

②

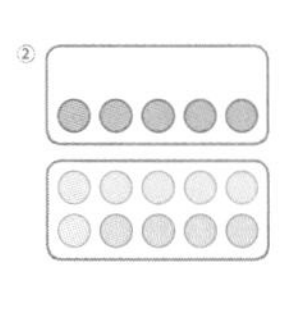

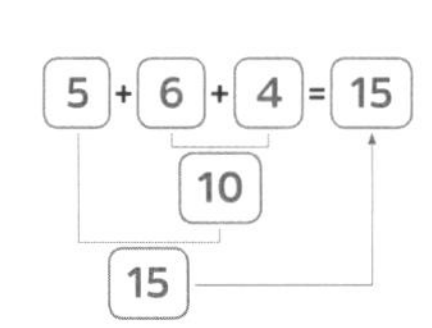

5 + 6 + 4 = 15, 10, 15

알맞은 식을 쓰고 답을 구하세요.

냉장고에 사과 4개, 귤 6개, 복숭아 1개가 있습니다. 냉장고에 있는 과일은 모두 몇 개일까요?

식 : 4+6+1=11 답 : 11개

(사과)+(귤)+(복숭아)=(과일)

① 공원에 나무 7그루가 있었는데 5그루를 더 심은 후, 다시 5그루를 더 심었습니다. 공원에 있는 나무는 몇 그루일까요?

식 : 7+5+5=17 답 : 17그루

② 체육관에 1반 학생 2명, 2반 학생 8명, 3반 학생 4명이 있습니다. 체육관에 있는 학생은 모두 몇 명일까요?

식 : 2+8+4=14 답 : 14명

③ 주차장에 트럭이 2대 있습니다. 버스는 트럭보다 1대 더 많고, 택시는 버스보다 9대 더 많습니다. 주차장에 있는 택시는 몇 대일까요?

식 : 2+1+9=12 답 : 12대

14 A4-덧셈과 뺄셈 II　　1주 10 만들기 15

## P 16 ~ 17

### 확인학습

알맞은 식을 쓰고 답을 구하세요.

① 문구점에 남자 어린이 3명, 여자 어린이 1명, 어른 2명이 있습니다. 문구점에 있는 사람은 모두 몇 명일까요?

식 : 3+1+2=6 답 : 6명

② 엄마가 만원 지폐를 7장 가지고 있습니다. 천원 지폐는 만원 지폐보다 1장 더 적고, 오천원 지폐는 천원 지폐보다 2장 더 적습니다. 엄마가 가진 오천원 지폐는 몇 장일까요?

식 : 7-1-2=4 답 : 4장

③ 연못에 올챙이 8마리가 있었는데 5마리가 개구리가 되었고, 다시 2마리가 더 개구리가 되었습니다. 연못에 남은 올챙이는 몇 마리일까요?

식 : 8-5-2=1 답 : 1마리

④ 병아리를 기민이는 6마리, 로미는 1마리, 나연이는 2마리 기르고 있습니다. 세 사람이 기르고 있는 병아리는 모두 몇 마리일까요?

식 : 6+1+2=9 답 : 9마리

덧셈식, 뺄셈식 또는 □가 있는 식을 쓰고 답을 구하세요.

⑤ 민우는 클립을 5개 가지고 있고, 아미도 클립을 5개 가지고 있습니다. 두 사람이 가진 클립은 모두 몇 개일까요?

식 : 5+5=10 답 : 10개

⑥ 화단에 튤립이 국화보다 4송이 더 많은 10송이 피어 있습니다. 화단에 있는 국화는 몇 송이일까요?

식 : □+4=10 답 : 6송이

⑦ 연못에 있던 오리 10마리 중 몇 마리가 날아가서 2마리가 남았습니다. 날아간 오리는 몇 마리일까요?

식 : 10-□=2 답 : 8마리

⑧ 운동장에 있던 자동차 중 1대가 떠나고 9대가 남았습니다. 운동장에 원래 있던 자동차는 몇 대일까요?

식 : □-1=9 답 : 10대

16 A4-덧셈과 뺄셈 II　　1주 10 만들기 17

## P 18

### 확인학습

✎ 알맞은 식을 쓰고 답을 구하세요.

⑨ 교실에 학생 6명이 있었는데 7명이 더 들어온 후, 다시 3명이 더 들어왔습니다. 교실에 있는 학생은 몇 명일까요?

식 : 6+7+3=16　　답 : 16명

⑩ 우현이는 빨강 색종이를 9장, 노랑 색종이를 1장, 파랑 색종이를 9장 가지고 있습니다. 우현이가 가진 색종이는 모두 몇 장일까요?

식 : 9+1+9=19　　답 : 19장

⑪ 화단에 해바라기 2송이가 피어 있습니다. 장미는 해바라기보다 8송이 더 많고, 국화는 장미보다 1송이 더 많습니다. 화단에 핀 국화는 몇 송이일까요?

식 : 2+8+1=11　　답 : 11송이

⑫ 광장에 비둘기가 5마리 있었는데 5마리가 더 날아온 후, 다시 8마리가 더 날아왔습니다. 광장에 있는 비둘기는 몇 마리일까요?

식 : 5+5+8=18　　답 : 18마리

18 A4-덧셈과 뺄셈 II

## P 20 ~ 21

### 1일 받아올림



❀ 그림을 보고 빈칸에 알맞은 수를 써넣으세요.

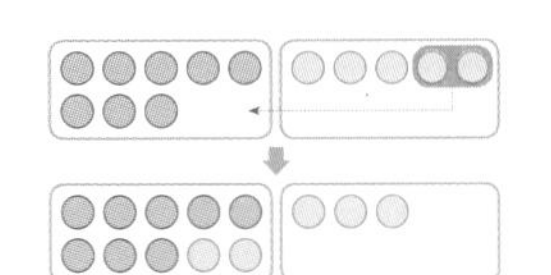

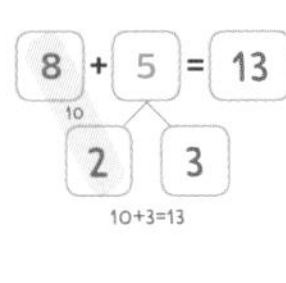


①

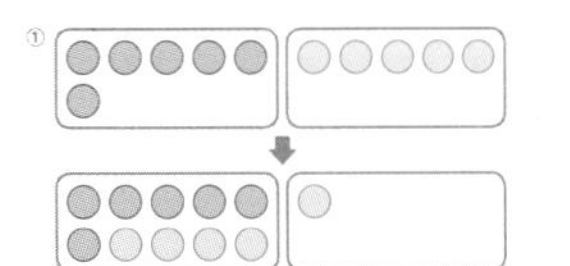

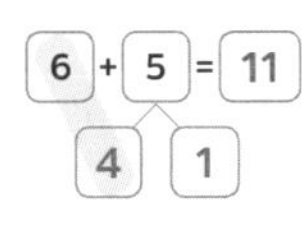


②

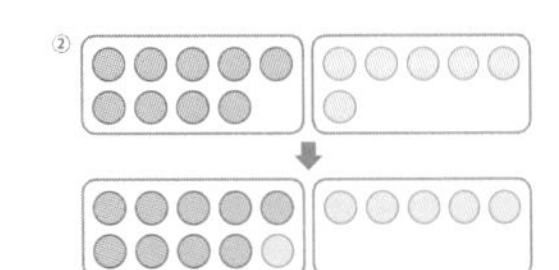

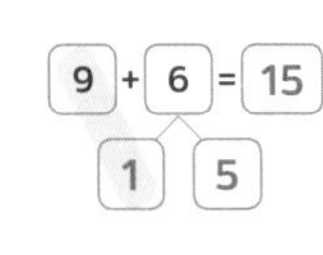


❀ 그림을 보고 빈칸에 알맞은 수를 써넣으세요.

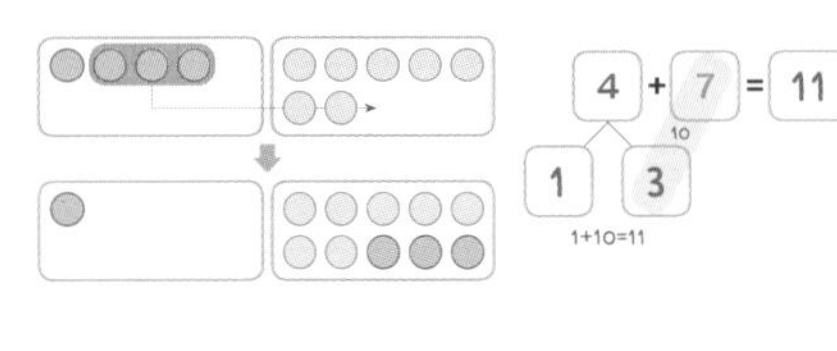


①

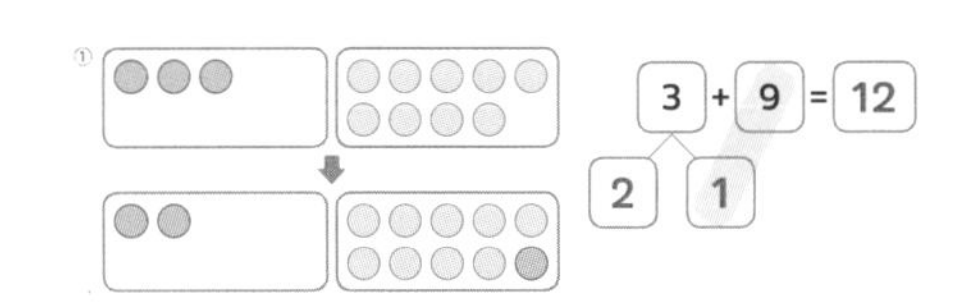


②

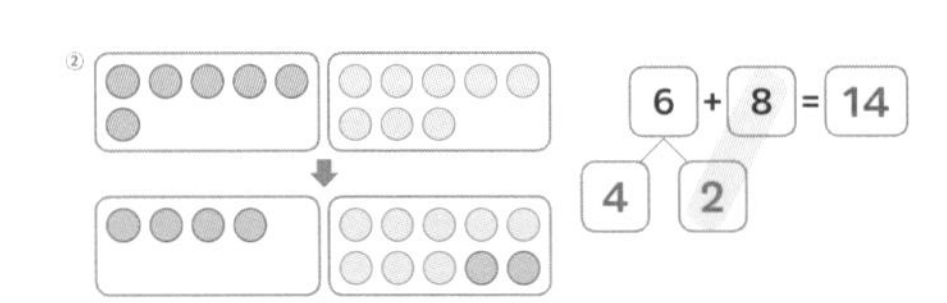






## P 22 ~ 23

### 2일 늘어나면 얼마일까요



빈칸에 알맞은 수를 써넣고 답을 구하세요.

소연이는 동전을 7개 가지고 있었는데 엄마에게 4개를 더 받았습니다. 소연이가 가진 동전은 몇 개일까요?

7 + 4 = 11　　답: 11개

① 운동장에 아이들이 8명 있었는데 5명이 더 왔습니다. 운동장에 있는 아이들은 몇 명일까요?

8 + 5 = 13　　답: 13명

② 책장에 동화책이 6권 있었는데 8권을 더 꽂았습니다. 책장에 있는 책은 몇 권일까요?

6 + 8 = 14　　답: 14권

③ 공원에 자전거가 6대 있었는데 6대가 더 왔습니다. 공원에 있는 자전거는 몇 대일까요?

6 + 6 = 12　　답: 12대

알맞은 식을 쓰고 답을 구하세요.

연못에 두루미가 8마리 있었는데 5마리가 더 날아왔습니다. 연못에 있는 두루미는 몇 마리일까요?

식: 8+5=13　　답: 13마리

(원래 있던 두루미)+(날아온 두루미)=(연못에 있는 두루미)

① 욕실에 칫솔이 7개 있었는데 엄마가 9개를 더 사왔습니다. 욕실에 있는 칫솔은 몇 개일까요?

식: 7+9=16　　답: 16개

② 현우는 우표를 3장 가지고 있었는데 8장을 더 모았습니다. 현우가 가진 우표는 몇 장일까요?

식: 3+8=11　　답: 11장

③ 지민이는 그림책을 5쪽 읽었는데 9쪽을 더 읽었습니다. 지민이가 읽은 그림책은 몇 쪽일까요?

식: 5+9=14　　답: 14쪽

## P 24 ~ 25

### 3일 몇 큰 수는 얼마일까요

빈칸에 알맞은 수를 써넣고 답을 구하세요.

산책길에 플라타너스가 8그루 있고, 은행나무는 플라타너스보다 4그루 더 많습니다. 산책길에 있는 은행나무는 몇 그루일까요?

8 + 4 = 12 (4 → 2, 2)　답 : 12그루

① 냉장고에 메추리알이 6개 있고, 달걀은 메추리알보다 8개 더 많습니다. 냉장고에 있는 달걀은 몇 개일까요?

6 + 8 = 14　답 : 14개

② 책장에 그림책이 5권 있고, 동화책은 그림책보다 6권 더 많습니다. 책장에 있는 동화책은 몇 권일까요?

5 + 6 = 11　답 : 11권

③ 수영장에 남자가 9명 있고, 여자는 남자보다 9명 더 많습니다. 수영장에 있는 여자는 몇 명일까요?

9 + 9 = 18　답 : 18명

알맞은 식을 쓰고 답을 구하세요.

바구니에 복숭아가 7개 있고, 자두는 복숭아보다 4개 더 많습니다. 바구니에 있는 자두는 몇 개일까요?

식 : 7+4=11　답 : 11개
(복숭아)+(4개)=(자두)

① 꽃다발에 백합이 4송이 있고, 장미는 백합보다 9송이 더 많습니다. 꽃다발에 있는 장미는 몇 송이일까요?

식 : 4+9=13　답 : 13송이

② 줄넘기를 진아는 5번 했고, 수연이는 진아보다 7번 더 했습니다. 수연이는 줄넘기를 몇 번 했을까요?

식 : 5+7=12　답 : 12번

③ 주차장에 오토바이가 8대 있고, 버스는 오토바이보다 7대 더 많습니다. 주차장에 있는 버스는 몇 대일까요?

식 : 8+7=15　답 : 15대

24 A4-덧셈과 뺄셈 II　　2주: 받아올림 덧셈 25

## P 26 ~ 27

### 4일 모두 얼마일까요

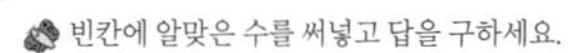

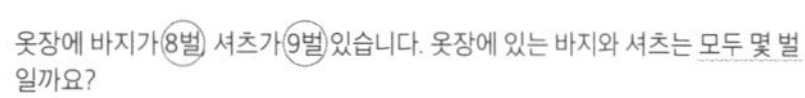

'모두'라는 말이 나오면 합을 구하는 덧셈식을 써야 해.

빈칸에 알맞은 수를 써넣고 답을 구하세요.

지우개를 연지는 4개, 혁오는 9개 가지고 있습니다. 두 사람이 가진 지우개는 모두 몇 개일까요?

4 + 9 = 13　답 : 13개

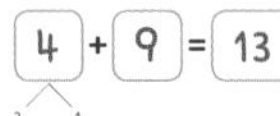


① 한 달 동안 미선이는 위인전을 6권, 동화책을 8권 읽었습니다. 한 달 동안 미선이가 읽은 책은 모두 몇 권일까요?

6 + 8 = 14　답 : 14권

② 올해 기현이는 9살이고 동생은 2살입니다. 기현이와 동생의 나이의 합은 몇 살일까요?

9 + 2 = 11　답 : 11살

③ 우준이네 동네에는 집이 6채 있고, 아름이네 동네에는 집이 7채 있습니다. 두 동네에 있는 집은 모두 몇 채일까요?

6 + 7 = 13　답 : 13채

알맞은 식을 쓰고 답을 구하세요.

옷장에 바지가 8벌, 셔츠가 9벌 있습니다. 옷장에 있는 바지와 셔츠는 모두 몇 벌일까요?

식 : 8+9=17　답 : 17벌

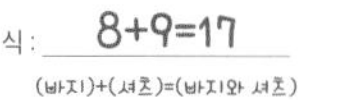


① 전깃줄에 제비가 3마리, 참새가 8마리 앉아 있습니다. 전깃줄에 앉아 있는 제비와 참새는 모두 몇 마리일까요?

식 : 3+8=11　답 : 11마리

② 빨간색 색연필이 7자루, 파란색 색연필이 7자루 있습니다. 색연필은 모두 몇 자루일까요?

식 : 7+7=14　답 : 14자루

③ 구슬을 노라는 9개, 미루는 6개 가지고 있습니다. 두 사람이 가진 구슬은 모두 몇 개일까요?

식 : 9+6=15　답 : 15개

26 A4-덧셈과 뺄셈 II　　2주: 받아올림 덧셈 27

## P 28 ~ 29

### 5일 세 수 더하기

한 번에 셈을 더하려 하지 말고 둘씩 차근차근 계산해 봐.

❀ 빈칸에 알맞은 수를 써넣고 답을 구하세요.

책장에 그림책이 7권 있었는데 6권을 더 빌려와서 꽂았고, 3권을 더 사와서 꽂았습니다. 책장에 있는 그림책은 몇 권일까요?

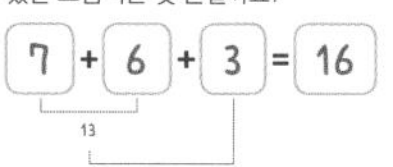

7 + 6 + 3 = 16 (13, 16)　답 : 16권

① 현지는 스티커를 5장 가지고 있습니다. 하라는 현지보다 3장 더 가지고 있고, 소미는 하라보다 9장 더 가지고 있습니다. 소미가 가진 스티커는 몇 장일까요?

5 + 3 + 9 = 17　답 : 17장

② 올해 재진이는 4살, 형은 5살, 누나는 6살입니다. 세 사람의 나이의 합은 몇 살일까요?

4 + 5 + 6 = 15　답 : 15살

③ 교실에 6명이 있었는데 여학생이 3명 더 들어왔고, 남학생이 2명 더 들어왔습니다. 교실에 있는 사람은 몇 명일까요?

6 + 3 + 2 = 11　답 : 11명

❀ 알맞은 식을 쓰고 답을 구하세요.

냉장고에 배가 3개 있습니다. 사과는 배보다 6개 더 많고, 자두는 사과보다 9개 더 많습니다. 냉장고에 있는 자두는 몇 개일까요?

식 : 3+6+9=18 ((배)+(6개)+(9개)=(자두))　답 : 18개

① 농장에 오리가 5마리, 닭이 6마리, 돼지가 1마리 있습니다. 농장에 있는 동물은 모두 몇 마리일까요?

식 : 5+6+1=12　답 : 12마리

② 운동장에 자동차가 9대 있었는데 2대가 더 왔고, 잠시 후 7대가 더 왔습니다. 운동장에 있는 자동차는 몇 대일까요?

식 : 9+2+7=18　답 : 18대

③ 꽃 가게에 튤립 8송이가 있습니다. 국화는 튤립보다 7송이 더 많고, 장미는 국화보다 2송이 더 많습니다. 꽃 가게에 있는 장미는 몇 송이일까요?

식 : 8+7+2=17　답 : 17송이





## P 30 ~ 31

### 확인학습

✎ 그림을 보고 빈칸에 알맞은 수를 써넣으세요.

①

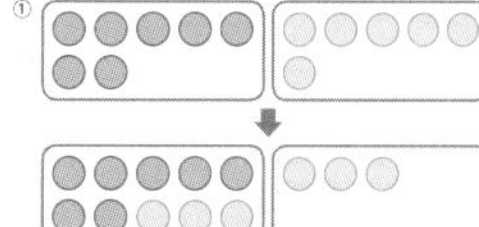

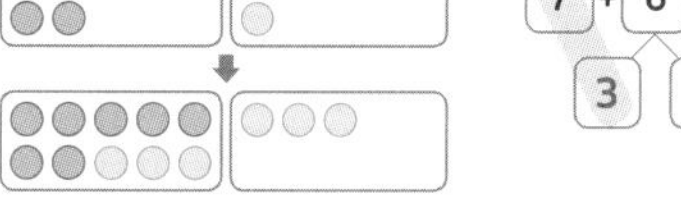

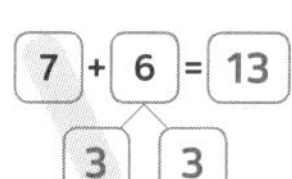

7 + 6 = 13 (3, 3)

②

8 + 9 = 17 (7, 1)

③

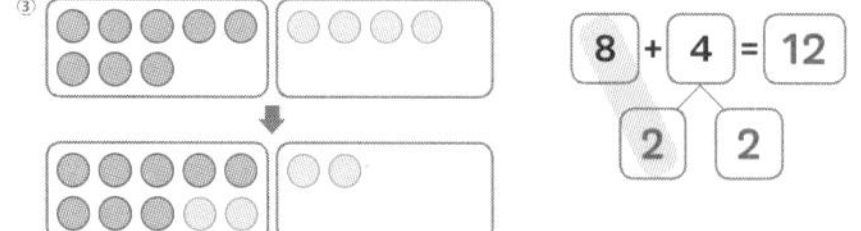

8 + 4 = 12 (2, 2)

✎ 알맞은 식을 쓰고 답을 구하세요.

④ 고운이는 색종이를 9장 가지고 있었는데 친구에게 3장을 더 받았습니다. 고운이가 가진 색종이는 몇 장일까요?

식 : 9+3=12　답 : 12장

⑤ 올해 두리는 6살이고, 형은 두리보다 7살 더 많습니다. 올해 형의 나이는 몇 살일까요?

식 : 6+7=13　답 : 13살

⑥ 주아는 딸기 8개와 체리 4개를 먹었습니다. 주아가 먹은 딸기와 체리는 모두 몇 개일까요?

식 : 8+4=12　답 : 12개

⑦ 할머니 댁에 강아지가 6마리 있는데 9마리가 더 태어났습니다. 할머니 댁에 있는 강아지는 몇 마리일까요?

식 : 6+9=15　답 : 15마리

## P 32

### 확인학습

알맞은 식을 쓰고 답을 구하세요.

⑧ 공원에 미루나무 2그루, 소나무 9그루, 은행나무 4그루가 있습니다. 공원에 있는 나무는 모두 몇 그루일까요?

식 : 2+9+4=15　　답 : 15그루

⑨ 희제는 붕어빵을 4개 먹었습니다. 붕어빵을 우빈이는 희제보다 4개 더 먹었고, 수하는 우빈이보다 3개 더 먹었습니다. 수하가 먹은 붕어빵은 몇 개일까요?

식 : 4+4+3=11　　답 : 11개

⑩ 민경이는 색연필을 9자루 가지고 있었는데 3자루를 상품으로 받고, 2자루를 더 샀습니다. 민경이가 가진 색연필은 몇 자루일까요?

식 : 9+3+2=14　　답 : 14자루

⑪ 버스에 사람이 5명 타고 있었는데 정류장에서 6명이 더 타고, 다음 정류장에서도 6명이 더 탔습니다. 버스에 타고 있는 사람은 몇 명일까요?

식 : 5+6+6=17　　답 : 17명

32 A4-덧셈과 뺄셈 II

## P 34 ~ 35

### 1일 받아내림

빼는 수를 가르는 방법과 빼지는 수를 가르는 방법이 있어.

그림을 보고 빈칸에 알맞은 수를 써넣으세요.

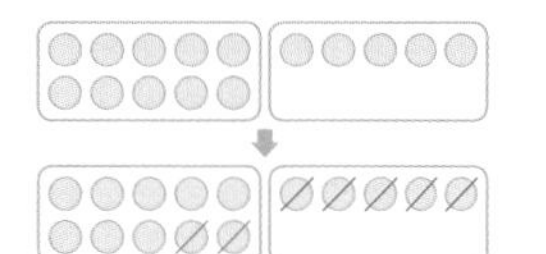

15 - 7 = 8
5 2
15-5-2=10-2=8

① 
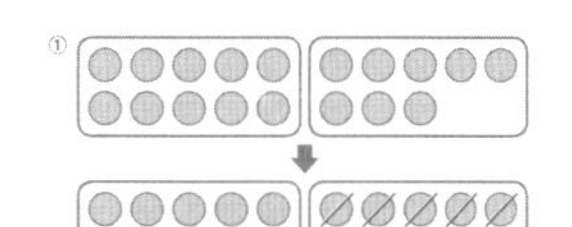

18 - 9 = 9
8 1

② 
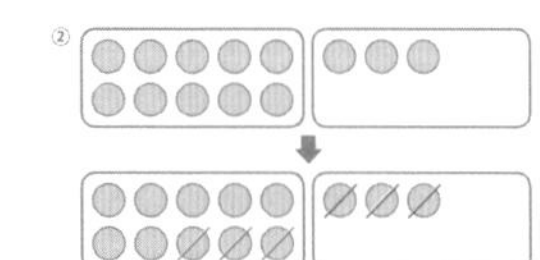

13 - 6 = 7
3 3



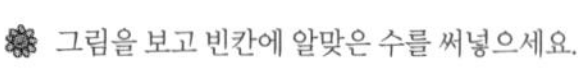

그림을 보고 빈칸에 알맞은 수를 써넣으세요.

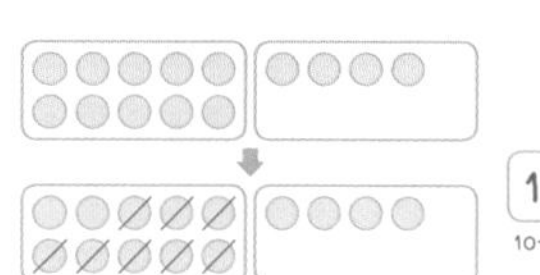

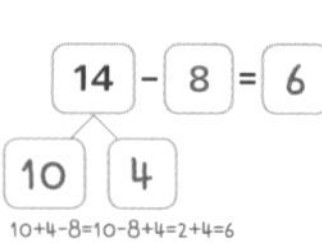

14 - 8 = 6
10 4
10+4-8=10-8+4=2+4=6

① 11 - 5 = 6
10 1

② 
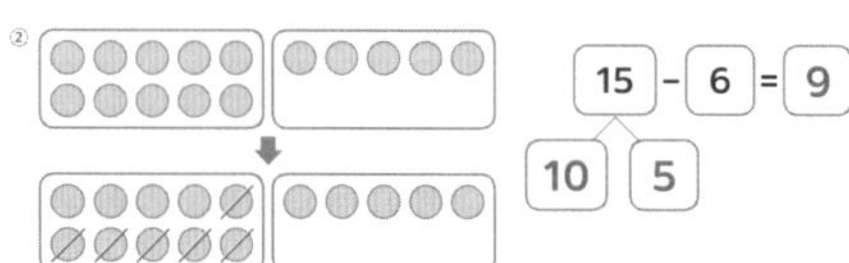

15 - 6 = 9
10 5



## P 36 ~ 37

### 2일 줄어들면 얼마일까요

적어지거나 줄어든 후의 수를 구하는 뺄셈 상황이야.

빈칸에 알맞은 수를 써넣고 답을 구하세요.

네리는 초콜릿을 13개 가지고 있었는데 8개를 먹었습니다. 남은 초콜릿은 몇 개일까요?

13 - 8 = 5 답: 5개
3 5

① 극장 앞에 12명이 줄을 서 있었는데 8명이 줄어들었습니다. 줄을 서 있는 사람은 몇 명일까요?

12 - 8 = 4 답: 4명

② 시민이는 소설책 15권 중 6권을 다 읽었습니다. 시민이가 읽지 않은 소설책은 몇 권일까요?

15 - 6 = 9 답: 9권

③ 옷장에 옷이 17벌 있었는데 엄마가 옷장을 정리하면서 9벌을 버렸습니다. 옷장에 남은 옷은 몇 벌일까요?

17 - 9 = 8 답: 8벌



알맞은 식을 쓰고 답을 구하세요.

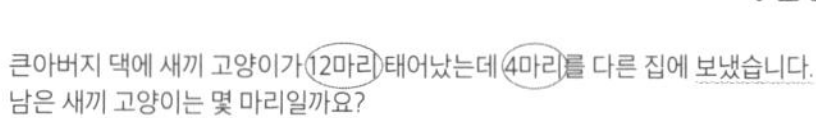

큰아버지 댁에 새끼 고양이가 12마리 태어났는데 4마리를 다른 집에 보냈습니다. 남은 새끼 고양이는 몇 마리일까요?

식: 12-4=8 답: 8마리
(태어난 고양이)-(보낸 고양이)=(남은 고양이)

① 예진이는 공깃돌을 16개 가지고 있었는데 9개를 동생에게 주었습니다. 예진이에게 남은 공깃돌은 몇 개일까요?

식: 16-9=7 답: 7개

② 민성이는 스티커를 12장 가지고 있었는데 7장을 공책에 붙였습니다. 민성이에게 남은 스티커는 몇 장일까요?

식: 12-7=5 답: 5장

③ 자전거 가게에 자전거가 17대 있었는데 하루 동안 8대를 팔았습니다. 자전거 가게에 남은 자전거는 몇 대일까요?

식: 17-8=9 답: 9대

## P 38 ~ 39

### 3일 몇 작은 수는 얼마일까요

'더 적다'라는 말이 나오면 뺄셈을 써야 하는 경우가 많아.

빈칸에 알맞은 수를 써넣고 답을 구하세요.

이수는 제자리뛰기를 11번 했고, 지훈이는 이수보다 9번 더 적게 했습니다. 지훈이는 제자리뛰기를 몇 번 했을까요?

11 - 9 = 2 (10, 1)　답: 2번

① 꽃밭에 튤립이 14송이 피어 있고, 해바라기는 튤립보다 8송이 더 적습니다. 꽃밭에 있는 해바라기는 몇 송이일까요?

14 - 8 = 6　답: 6송이

② 호두과자를 수현이는 17개 먹었고, 동생은 수현이보다 9개 더 적게 먹었습니다. 동생이 먹은 호두과자는 몇 개일까요?

17 - 9 = 8　답: 8개

③ 동물원에 여우가 15마리 있고, 코요테는 여우보다 8마리 더 적습니다. 동물원에 있는 코요테는 몇 마리일까요?

15 - 8 = 7　답: 7마리

알맞은 식을 쓰고 답을 구하세요.

볼펜을 종우는 12자루 가지고 있고, 상민이는 종우보다 5자루 더 적게 가지고 있습니다. 상민이가 가진 볼펜은 몇 자루일까요?

식: 12-5=7　답: 7자루

(종우의 볼펜)-(5자루)=(상민이의 볼펜)

① 교실에 안경을 쓴 학생이 16명 있고, 안경을 쓰지 않은 학생은 안경을 쓴 학생보다 8명 더 적습니다. 교실에 안경을 쓰지 않은 학생은 몇 명 있을까요?

식: 16-8=8　답: 8명

② 천원 지폐를 엄마는 13장 가지고 있고, 기웅이는 엄마보다 7장 더 적게 가지고 있습니다. 기웅이가 가진 천원 지폐는 몇 장일까요?

식: 13-7=6　답: 6장

③ 수연이는 머리끈을 11개 가지고 있고, 머리핀은 머리끈보다 8개 더 적게 가지고 있습니다. 수연이가 가진 머리핀은 몇 개일까요?

식: 11-8=3　답: 3개

38 A4-덧셈과 뺄셈 II　　3주: 받아내림 뺄셈 39

## P 40 ~ 41

### 4일 어느 것이 몇 더 클까요

얼마나 더 많은지 묻는다면 뺄셈식으로 차를 구해야 해.

빈칸에 알맞은 수를 써넣고 답을 구하세요.

창주는 수영장에 15일 갔고, 상현이는 6일 갔습니다. 수영장에 더 많이 간 사람은 누구이고, 며칠 더 많이 갔을까요?

15 - 6 = 9 (5, 1)　답: 창주, 9일

① 농장에 소가 7마리, 돼지가 12마리 있습니다. 농장에 더 많이 있는 동물은 무엇이고, 몇 마리 더 많을까요?

12 - 7 = 5　답: 돼지, 5마리

② 운동장에 1반 학생이 9명, 2반 학생이 18명 있습니다. 운동장에 학생이 더 많은 반은 몇 반이고, 몇 명 더 많을까요?

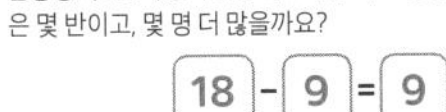


답: 2반, 9명

③ 도서관에 그림책이 14권, 만화책이 8권 있습니다. 도서관에 더 많은 책은 무엇이고, 몇 권 더 많을까요?

14 - 8 = 6　답: 그림책, 6권

알맞은 식을 쓰고 답을 구하세요.

과일 바구니에 사과가 9개, 복숭아가 16개 있습니다. 바구니에 더 많은 과일은 무엇이고, 몇 개 더 많을까요?

식: 16-9=7　답: 복숭아, 7개

(복숭아)-(사과)=(복숭아와 사과의 차)

① 산책길에 소나무 15그루와 은행나무 8그루가 있습니다. 산책길에 더 많은 나무는 무엇이고, 몇 그루 더 많을까요?

식: 15-8=7　답: 소나무, 7그루

② 올해 연우는 7살이고, 소희는 13살입니다. 나이가 더 많은 사람은 누구이고, 몇 살 더 많을까요?

식: 13-7=6　답: 소희, 6살

③ 공사장에 트럭이 11대, 포크레인이 8대 있습니다. 공사장에 더 많은 차량은 무엇이고, 몇 대 더 많을까요?

식: 11-8=3　답: 트럭, 3대

40 A4-덧셈과 뺄셈 II　　3주: 받아내림 뺄셈 41

## P 42 ~ 43

### 5일 세 수 더하거나 빼기

❀ 빈칸에 알맞은 수를 써넣고 답을 구하세요.

미루가 가진 동전 15개 중 4개는 저금통에 넣었고, 8개는 썼습니다. 미루에게 남은 동전은 몇 개일까요?

15 - 4 - 8 = 3　답: 3개

① 버스에 16명이 타고 있었는데 정류장에서 9명이 내리고, 2명이 더 탔습니다. 버스에 타고 있는 사람은 몇 명일까요?

16 - 9 + 2 = 9　답: 9명

② 흰 우유 6잔, 딸기 우유 8잔과 주스 7잔이 있습니다. 우유는 주스보다 몇 잔 더 많을까요?

6 + 8 - 7 = 7　답: 7잔

③ 가인이는 연필을 14자루 가지고 있습니다. 볼펜은 연필보다 5자루 더 적고, 색연필은 볼펜보다 3자루 더 적습니다. 가인이가 가진 색연필은 몇 자루일까요?

14 - 5 - 3 = 6　답: 6자루

❀ 알맞은 식을 쓰고 답을 구하세요.

앞 두 수를 먼저 계산한 후, 나머지 수를 계산해 보자.

미주는 동화책 12권을 가지고 있었습니다. 다 읽은 동화책 3권은 학급 도서관에 주고, 5권을 더 샀습니다. 미주가 가진 동화책은 몇 권일까요?

식: 12-3+5=14　답: 14권

(원래 가진 동화책)-(도서관에 준 동화책)+(더 산 동화책)=(미주가 가진 동화책)

① 정원에 단풍나무가 9그루 있습니다. 소나무는 단풍나무보다 4그루 더 많고, 은행나무는 소나무보다 8그루 더 적습니다. 정원에 있는 은행나무는 몇 그루일까요?

식: 9+4-8=5　답: 5그루

② 자전거 주차장에 자전거가 18대 있었는데 8대가 빠져 나가고, 다시 6대가 더 빠져 나갔습니다. 자전거 주차장에 남은 자전거는 몇 대일까요?

식: 18-8-6=4　답: 4대

③ 로미는 올해 11살이고, 동생은 로미보다 7살 더 어립니다. 6년 후에 동생은 몇 살일까요?

식: 11-7+6=10　답: 10살

42 A4-덧셈과 뺄셈 II　　3주: 받아내림 뺄셈 43

## P 44 ~ 45

### 확인학습

✎ 그림을 보고 빈칸에 알맞은 수를 써넣으세요.

① 17 - 9 = 8 (10, 7)

② 12 - 5 = 7 (2, 3)

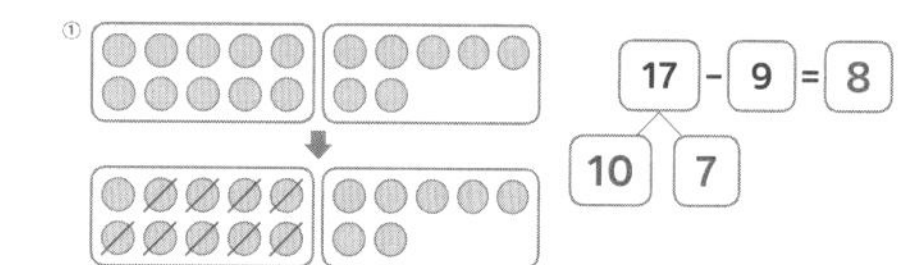

③ 13 - 4 = 9 (10, 3)

✎ 알맞은 식을 쓰고 답을 구하세요.

④ 아리가 장미 14송이를 사서 친구들에게 7송이를 나누어 주었습니다. 아리에게 남은 장미는 몇 송이일까요?

식: 14-7=7　답: 7송이

⑤ 체육관에 여학생이 13명, 남학생이 9명 있습니다. 여학생과 남학생 중 누가 몇 명 더 많을까요?

식: 13-9=4　답: 여학생, 4명

⑥ 누나는 올해 12살이고, 한솔이는 누나보다 4살 더 적습니다. 한솔이는 올해 몇 살일까요?

식: 12-4=8　답: 8살

⑦ 공원에 버드나무가 18그루 있었는데 9그루를 다른 곳으로 옮겨 심었습니다. 공원에 남은 버드나무는 몇 그루일까요?

식: 18-9=9　답: 9그루

44 A4-덧셈과 뺄셈 II　　3주: 받아내림 뺄셈 45

## P 46

### 확인학습

알맞은 식을 쓰고 답을 구하세요.

⑧ 빨간색 색연필이 5자루, 파란색 색연필이 7자루 있고, 볼펜이 9자루 있습니다. 색연필은 볼펜보다 몇 자루 더 많을까요?

식 : 5+7-9=3　답 : 3자루

⑨ 호진이는 우표를 17장 가지고 있었습니다. 우표 8장은 편지에 붙이고, 2장은 잃어버렸습니다. 호진이가 가진 우표는 몇 장일까요?

식 : 17-8-2=7　답 : 7장

⑩ 매표소 앞에 13명이 줄을 서 있었습니다. 줄을 서 있던 사람 중 4명이 줄고, 6명이 새로 왔습니다. 매표소 앞에 줄을 서 있는 사람은 몇 명일까요?

식 : 13-4+6=15　답 : 15명

⑪ 지연이는 밤을 3개 땄습니다. 도토리는 밤보다 9개 더 많이 땄고, 대추는 도토리보다 6개 더 적게 땄습니다. 지연이가 딴 대추는 몇 개일까요?

식 : 3+9-6=6　답 : 6개

46 A4-덧셈과 뺄셈 II

# 덧뺄셈 관계

## P 48 ~ 49

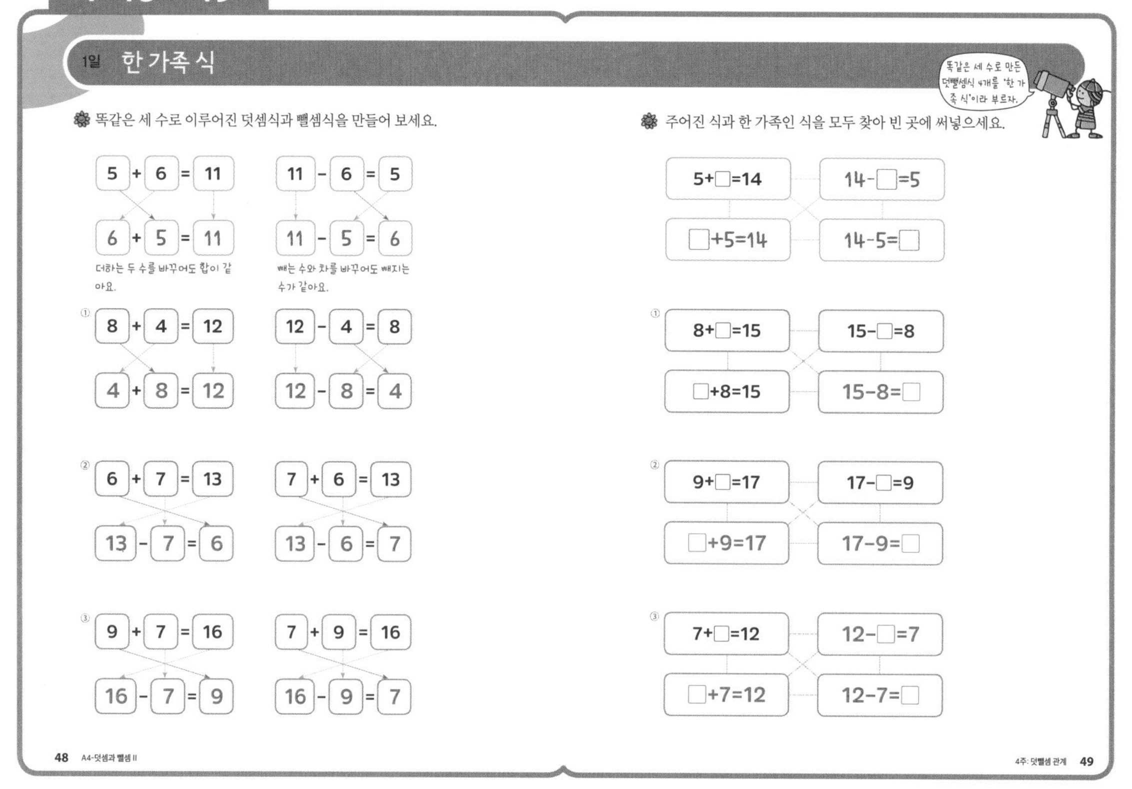

1일 한 가족 식



똑같은 세 수로 이루어진 덧셈식과 뺄셈식을 만들어 보세요.

5 + 6 = 11 / 6 + 5 = 11 — 더하는 두 수를 바꾸어도 합이 같아요.

11 - 6 = 5 / 11 - 5 = 6 — 빼는 수와 차를 바꾸어도 빼지는 수가 같아요.

① 8 + 4 = 12 / 4 + 8 = 12    12 - 4 = 8 / 12 - 8 = 4

② 6 + 7 = 13 / 13 - 7 = 6    7 + 6 = 13 / 13 - 6 = 7

③ 9 + 7 = 16 / 16 - 7 = 9    7 + 9 = 16 / 16 - 9 = 7

주어진 식과 한 가족인 식을 모두 찾아 빈 곳에 써넣으세요.

5+□=14   14-□=5   □+5=14   14-5=□

① 8+□=15   15-□=8   □+8=15   15-8=□

② 9+□=17   17-□=9   □+9=17   17-9=□

③ 7+□=12   12-□=7   □+7=12   12-7=□

48 A4-덧셈과 뺄셈 II    4주: 덧뺄셈 관계 49

## P 50 ~ 51

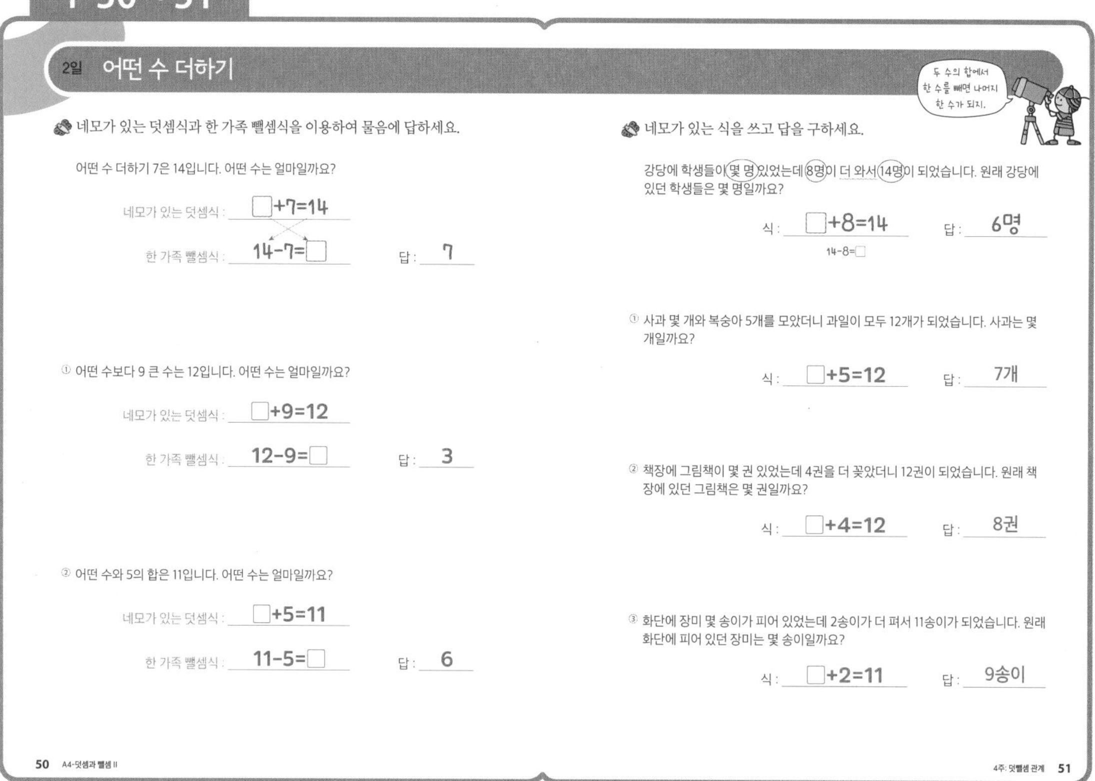

2일 어떤 수 더하기



네모가 있는 덧셈식과 한 가족 뺄셈식을 이용하여 물음에 답하세요.

어떤 수 더하기 7은 14입니다. 어떤 수는 얼마일까요?

네모가 있는 덧셈식 : □+7=14

한 가족 뺄셈식 : 14-7=□    답 : 7

① 어떤 수보다 9 큰 수는 12입니다. 어떤 수는 얼마일까요?

네모가 있는 덧셈식 : □+9=12

한 가족 뺄셈식 : 12-9=□    답 : 3

② 어떤 수와 5의 합은 11입니다. 어떤 수는 얼마일까요?

네모가 있는 덧셈식 : □+5=11

한 가족 뺄셈식 : 11-5=□    답 : 6

네모가 있는 식을 쓰고 답을 구하세요.

강당에 학생들이 몇 명 있었는데 8명이 더 와서 14명이 되었습니다. 원래 강당에 있던 학생들은 몇 명일까요?

식 : □+8=14 (14-8=□)    답 : 6명

① 사과 몇 개와 복숭아 5개를 모았더니 과일이 모두 12개가 되었습니다. 사과는 몇 개일까요?

식 : □+5=12    답 : 7개

② 책장에 그림책이 몇 권 있었는데 4권을 더 꽂았더니 12권이 되었습니다. 원래 책장에 있던 그림책은 몇 권일까요?

식 : □+4=12    답 : 8권

③ 화단에 장미 몇 송이가 피어 있었는데 2송이가 더 펴서 11송이가 되었습니다. 원래 화단에 피어 있던 장미는 몇 송이일까요?

식 : □+2=11    답 : 9송이

50 A4-덧셈과 뺄셈 II    4주: 덧뺄셈 관계 51

## P 52 ~ 53

### 3일 더하기 어떤 수

네모가 있는 덧셈식과 한 가족 뺄셈식을 이용하여 물음에 답하세요.

6보다 어떤 수만큼 큰 수는 15입니다. 어떤 수는 얼마일까요?

네모가 있는 덧셈식 : 6+□=15

한 가족 뺄셈식 : 15-6=□ 답 : 9

① 7과 어떤 수의 합은 14입니다. 어떤 수는 얼마일까요?

네모가 있는 덧셈식 : 7+□=14

한 가족 뺄셈식 : 14-7=□ 답 : 7

② 8 더하기 어떤 수는 13입니다. 어떤 수는 얼마일까요?

네모가 있는 덧셈식 : 8+□=13

한 가족 뺄셈식 : 13-8=□ 답 : 5

6+□=15를 바꾸어 더하면 □+6=15이지.

네모가 있는 식을 쓰고 답을 구하세요.

빨간 사과 3개와 초록 사과 몇 개가 있습니다. 사과가 모두 11개일 때 초록 사과는 몇 개일까요?

식 : 3+□=11 답 : 8개

① 연희는 셔츠를 9벌 가지고 있었는데 몇 벌 더 사서 15벌이 되었습니다. 연희가 더 산 셔츠는 몇 벌일까요?

식 : 9+□=15 답 : 6벌

② 단풍나무 5그루와 은행나무 몇 그루가 있습니다. 두 나무가 모두 14그루일 때 은행나무는 몇 그루일까요?

식 : 5+□=14 답 : 9그루

③ 운동장에 주차된 자동차는 8대였는데 몇 대가 더 와서 12대가 되었습니다. 운동장에 더 온 자동차는 몇 대일까요?

식 : 8+□=12 답 : 4대

52 A4-덧셈과 뺄셈 II　　4주: 덧뺄셈 관계 53

## P 54 ~ 55

### 4일 어떤 수 빼기

네모가 있는 뺄셈식과 한 가족 덧셈식을 이용하여 물음에 답하세요.

4보다 큰 어떤 수와 4의 차는 8입니다. 어떤 수는 얼마일까요?

네모가 있는 뺄셈식 : □-4=8

한 가족 덧셈식 : 8+4=□ 답 : 12

① 어떤 수 빼기 9는 5입니다. 어떤 수는 얼마일까요?

네모가 있는 뺄셈식 : □-9=5

한 가족 덧셈식 : 5+9=□ 답 : 14

② 어떤 수보다 6 작은 수는 5입니다. 어떤 수는 얼마일까요?

네모가 있는 뺄셈식 : □-6=5

한 가족 덧셈식 : 5+6=□ 답 : 11

뺄셈식에서 빼는 수와 차를 더한 값은 빼지는 수와 같아.

네모가 있는 식을 쓰고 답을 구하세요.

꽃 가게에 있는 국화는 장미보다 8송이 더 적은 7송이입니다. 꽃 가게에 있는 장미는 몇 송이일까요?

식 : □-8=7 답 : 15송이

① 냉장고에 있는 귤 중 4개를 먹었더니 9개가 남았습니다. 원래 냉장고에 있던 귤은 몇 개일까요?

식 : □-4=9 답 : 13개

② 올해 동생은 아현이보다 7살 더 적은 4살입니다. 올해 아현이의 나이는 몇 살일까요?

식 : □-7=4 답 : 11살

③ 탁자 위에 있던 우유 5잔을 친구들과 함께 마셨더니 7잔이 남았습니다. 원래 탁자 위에 있던 우유는 몇 잔일까요?

식 : □-5=7 답 : 12잔

54 A4-덧셈과 뺄셈 II　　4주: 덧뺄셈 관계 55

## P 56 ~ 57

### 5일 빼기 어떤 수

뺄셈식에서 빼는 수와 차를 바꾸어도 올바른 식이 되지.

❀ 네모가 있는 뺄셈식과 한 가족 뺄셈식을 이용하여 물음에 답하세요.

17 빼기 어떤 수는 9입니다. 어떤 수는 얼마일까요?

네모가 있는 뺄셈식 : 17-□=9

한 가족 뺄셈식 : 17-9=□ 답 : 8

① 15보다 어떤 수만큼 작은 수는 6입니다. 어떤 수는 얼마일까요?

네모가 있는 뺄셈식 : 15-□=6

한 가족 뺄셈식 : 15-6=□ 답 : 9

② 14와 14보다 작은 어떤 수의 차는 7입니다. 어떤 수는 얼마일까요?

네모가 있는 뺄셈식 : 14-□=7

한 가족 뺄셈식 : 14-7=□ 답 : 7

❀ 네모가 있는 식을 쓰고 답을 구하세요.

우유 12잔이 있었는데 몇 잔을 마셨더니 남은 우유는 4잔이 되었습니다. 마신 우유는 몇 잔일까요?

식 : 12-□=4 (12-4=□) 답 : 8잔

① 빨강 색종이는 15장 있고, 파랑 색종이는 빨강 색종이보다 몇 장 더 적은 8장입니다. 파랑 색종이는 빨강 색종이보다 몇 장 더 적을까요?

식 : 15-□=8 답 : 7장

② 지우는 사탕 13개를 가지고 있었는데 몇 개를 먹고 남은 사탕이 6개입니다. 지우가 먹은 사탕은 몇 개일까요?

식 : 13-□=6 답 : 7개

③ 세란이는 나비 12마리를 잡아서 몇 마리를 풀어주고 9마리가 남았습니다. 세란이가 풀어준 나비는 몇 마리일까요?

식 : 12-□=9 답 : 3마리





## P 58 ~ 59

### 확인학습

✎ 주어진 식과 한 가족인 식을 모두 찾아 빈 곳에 써넣으세요.

①

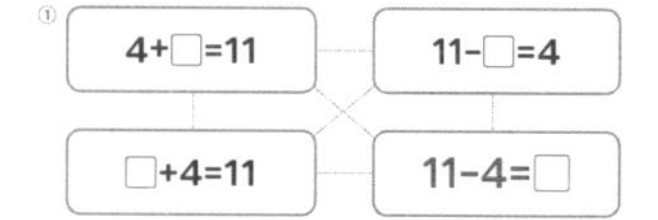


② 9+□=18, 18-□=9, □+9=18, 18-9=□

③ 8+□=13, 13-□=8, □+8=13, 13-8=□

④ 5+□=12, 12-□=5, □+5=12, 12-5=□

✎ 네모가 있는 식을 쓰고 답을 구하세요.

⑤ 서점에 여학생 7명과 남학생 몇 명이 있습니다. 서점에 있는 학생은 모두 13명일 때 남학생은 몇 명일까요?

식 : 7+□=13 답 : 6명

⑥ 소현이는 연필 몇 자루를 가지고 있었는데 친구에게 선물로 3자루를 더 받아서 12자루가 되었습니다. 소현이가 원래 가지고 있던 연필은 몇 자루일까요?

식 : □+3=12 답 : 9자루

⑦ 지우는 팔굽혀펴기를 7번 했고, 명수는 지우보다 몇 번 더 많은 15번 했습니다. 명수는 지우보다 팔굽혀펴기를 몇 번 더 많이 했을까요?

식 : 7+□=15 답 : 8번

⑧ 봉지에 단팥빵 몇 개와 슈크림빵 9개가 들어 있습니다. 봉지에 들어 있는 빵은 모두 13개일 때 단팥빵은 몇 개일까요?

식 : □+9=13 답 : 4개

## P 60

### 확인학습

네모가 있는 식을 쓰고 답을 구하세요.

⑨ 창고에 있던 타일 중 6장을 욕실 벽에 붙였더니 8장이 남았습니다. 원래 창고에 있던 타일은 몇 장일까요?

식 : □-6=8 답 : 14장

⑩ 자전거 가게에 세발 자전거는 두발 자전거보다 9대 더 적은 9대 있습니다. 자전거 가게에 있는 두발 자전거는 몇 대일까요?

식 : □-9=9 답 : 18대

⑪ 놀이터에 은행나무가 15그루 있었는데 몇 그루를 옮겨 심었더니 9그루가 남았습니다. 옮겨 심은 은행나무는 몇 그루일까요?

식 : 15-□=9 답 : 6그루

⑫ 지민이에게 바지가 14벌 있었는데 동생에게 몇 벌 물려주고 5벌 남았습니다. 지민이가 동생에게 물려준 바지는 몇 벌일까요?

식 : 14-□=5 답 : 9벌

60 A4-덧셈과 뺄셈 II

## P62 ~ 63

### 1회차 진단평가

월 일
제한 시간 10분
맞은 개수 /8개

✎ 알맞은 식을 쓰고 답을 구하세요.

① 들판에 제비꽃이 2송이 피어 있었습니다. 어느 날 제비꽃 5송이가 더 피고, 다음 날 2송이가 더 피었습니다. 들판에 핀 제비꽃은 모두 몇 송이일까요?

식 : 2+5+2=9 답 : 9송이

② 공사장에 포크레인이 1대 있습니다. 불도저는 포크레인보다 3대 더 많고, 트럭은 불도저보다 4대 더 많습니다. 공사장에 있는 트럭은 몇 대일까요?

식 : 1+3+4=8 답 : 8대

✎ 알맞은 식을 쓰고 답을 구하세요.

③ 주희의 생일 파티에서 친구들이 우유 3잔, 주스 9잔, 식혜 2잔을 마셨습니다. 친구들이 마신 음료수는 모두 몇 잔일까요?

식 : 3+9+2=14 답 : 14잔

④ 옷장에 치마가 5벌 있습니다. 바지는 치마보다 6벌 더 많고, 셔츠는 바지보다 8벌 더 많습니다. 옷장에 있는 셔츠는 몇 벌일까요?

식 : 5+6+8=19 답 : 19벌



✎ 알맞은 식을 쓰고 답을 구하세요.

⑤ 빨간색 색종이가 7장, 파란색 색종이가 15장 있습니다. 더 많은 색종이는 무슨 색깔이고, 몇 장 더 많을까요?

식 : 15-7=8 답 : 파란색, 8장

⑥ 정원에 수선화 8송이와 국화 17송이가 피어 있습니다. 더 많은 꽃은 무엇이고, 몇 송이 더 많을까요?

식 : 17-8=9 답 : 국화, 9송이

✎ 네모가 있는 식을 쓰고 답을 구하세요.

⑦ 빵 가게에 머핀이 6개 있었는데 몇 개를 더 만들어서 11개가 되었습니다. 빵 가게에서 더 만든 머핀은 몇 개일까요?

식 : 6+□=11 답 : 5개

⑧ 상현이는 우표를 8장 가지고 있었는데 몇 장 더 모아서 15장이 되었습니다. 상현이가 더 모은 우표는 몇 장일까요?

식 : 8+□=15 답 : 7장



## P 64 ~ 65

### 2회차 진단평가

월 일
제한 시간 10분
맞은 개수 /8개

✎ 알맞은 식을 쓰고 답을 구하세요.

① 교실에 학생 9명이 있었는데 2명이 나가고, 다시 2명이 더 나갔습니다. 교실에 남은 학생은 몇 명일까요?

식 : 9-2-2=5 답 : 5명

② 기준이는 동전을 6개 가지고 있었는데 3개를 저금통에 넣고, 1개는 썼습니다. 기준이에게 남은 동전은 몇 개일까요?

식 : 6-3-1=2 답 : 2개

✎ 그림을 보고 빈칸에 알맞은 수를 써넣으세요.

③ 9 + 7 = 16 (1, 6)

④ 5 + 6 = 11 (1, 4)



✎ 알맞은 식을 쓰고 답을 구하세요.

⑤ 소민이는 12쪽짜리 연산책을 풉니다. 어제는 6쪽 풀었고, 오늘은 5쪽 풀었습니다. 남은 연산책은 몇 쪽일까요?

식 : 12-6-5=1 답 : 1쪽

⑥ 연못에 올챙이가 15마리 있었습니다. 올챙이 7마리는 개구리가 되었고, 2마리가 새로 태어났습니다. 연못에 있는 올챙이는 몇 마리일까요?

식 : 15-7+2=10 답 : 10마리

✎ 네모가 있는 식을 쓰고 답을 구하세요.

⑦ 바닷가에 있던 펭귄 5마리가 물 속으로 들어가고 8마리가 남았습니다. 원래 바닷가에 있던 펭귄은 몇 마리일까요?

식 : □-5=8 답 : 13마리

⑧ 현준이가 수학 문제집을 3쪽 풀고 8쪽이 남았습니다. 수학 문제집은 모두 몇 쪽일까요?

식 : □-3=8 답 : 11쪽

## P 66 ~ 67

### 3회차 진단평가

월 일
제한 시간 10분
맞은 개수 / 8개

✎ □가 있는 덧셈식을 쓰고 답을 구하세요.

① 냉장고에 달걀 7개가 있었는데 몇 개를 더 넣었더니 10개가 되었습니다. 냉장고에 더 넣은 달걀은 몇 개일까요?

식 : 7+□=10 답 : 3개

② 가연이네 집에는 고양이를 기르고 있었는데 새끼 5마리가 더 태어나 고양이는 모두 10마리가 되었습니다. 가연이네 집에서 원래 기르고 있던 고양이는 몇 마리일까요?

식 : □+5=10 답 : 5마리

✎ 알맞은 식을 쓰고 답을 구하세요.

③ 봉지에 귤이 8개 들어 있었는데 9개를 더 넣었습니다. 봉지에 있는 귤은 모두 몇 개일까요?

식 : 8+9=17 답 : 17개

④ 꽃밭에 나팔꽃이 4송이 피어 있었는데 8송이가 더 피었습니다. 꽃밭에 핀 나팔꽃은 몇 송이일까요?

식 : 4+8=12 답 : 12송이

✎ 그림을 보고 빈칸에 알맞은 수를 써넣으세요.

⑤

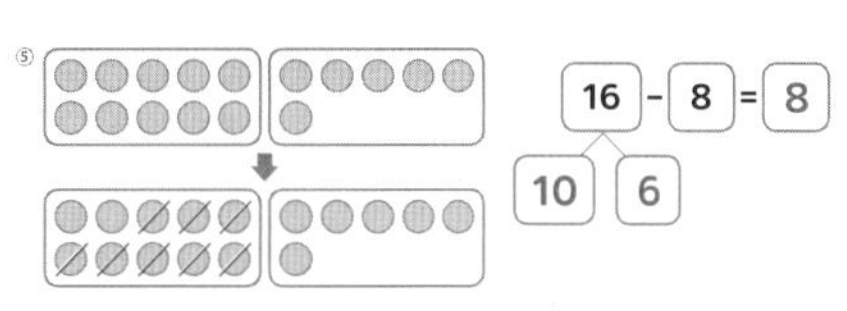

16 - 8 = 8
10 6

⑥

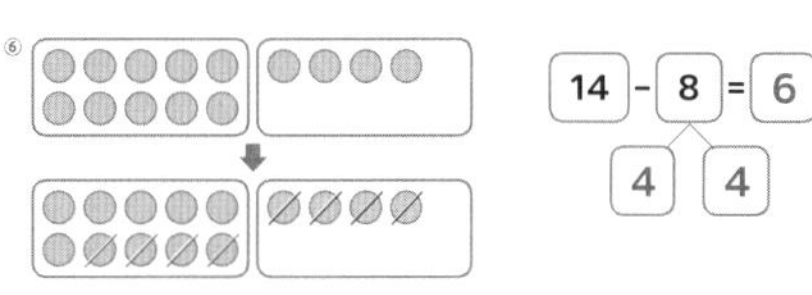

14 - 8 = 6
4 4

✎ 네모가 있는 식을 쓰고 답을 구하세요.

⑦ 미주는 동전 11개를 가지고 있었는데 몇 개를 저금하고 3개 남았습니다. 미주가 저금한 동전은 몇 개일까요?

식 : 11-□=3 답 : 8개

⑧ 책장에 동화책이 12권 있고, 그림책은 동화책보다 몇 권 더 적은 7권입니다. 그림책은 동화책보다 몇 권 더 적을까요?

식 : 12-□=7 답 : 5권

66 A4-덧셈과 뺄셈 II 진단평가 67

## P 68 ~ 69

### 4회차 진단평가

월 일
제한 시간 10분
맞은 개수 / 8개

✎ 뺄셈식 또는 □가 있는 뺄셈식을 쓰고 답을 구하세요.

① 세미가 가진 연필 10자루 중 몇 자루는 다 쓰고 6자루가 남았습니다. 세미가 다 쓴 연필은 몇 자루일까요?

식 : 10-□=6 답 : 4자루

② 바구니에 사탕 10개와 초콜릿 3개가 들어있습니다. 사탕은 초콜릿보다 몇 개 더 많을까요?

식 : 10-3=7 답 : 7개

✎ 알맞은 식을 쓰고 답을 구하세요.

③ 탁자 위에 주스가 8잔 있고, 우유는 주스보다 8잔 더 많습니다. 탁자 위에 있는 우유는 몇 잔일까요?

식 : 8+8=16 답 : 16잔

④ 서랍 안에 볼펜이 4자루 있고, 연필은 볼펜보다 7자루 더 많습니다. 서랍 안에 있는 연필은 몇 자루일까요?

식 : 4+7=11 답 : 11자루

✎ 알맞은 식을 쓰고 답을 구하세요.

⑤ 냉장고에 귤이 15개 있었는데 6개를 먹었습니다. 냉장고에 남은 귤은 몇 개일까요?

식 : 15-6=9 답 : 9개

⑥ 테이블 위에 우유가 11잔 있었는데 친구들이 5잔을 마셨습니다. 테이블 위에 남은 우유는 몇 잔일까요?

식 : 11-5=6 답 : 6잔

✎ 주어진 식과 한 가족인 식을 모두 찾아 빈 곳에 써넣으세요.

⑦

6+□=12 12-□=6
□+6=12 12-6=□

⑧

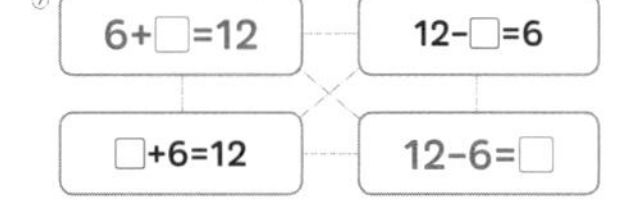

7+□=13 13-□=7
□+7=13 13-7=□

68 A4-덧셈과 뺄셈 II 진단평가 69

## P 70 ~ 71

5회차 진단평가

월 일 / 제한 시간 10분 / 맞은 개수 / 8개

✎ 알맞은 식을 쓰고 답을 구하세요.

① 농장에 돼지가 7마리, 소가 3마리, 오리가 5마리 있습니다. 농장에 있는 동물은 모두 몇 마리일까요?

식 : 7+3+5=15 답 : 15마리

② 형우는 구슬을 3개 가지고 있습니다. 구슬을 민석이는 형우보다 6개 더 가지고 있고, 지현이는 민석이보다 4개 더 가지고 있습니다. 지현이가 가진 구슬은 몇 개일까요?

식 : 3+6+4=13 답 : 13개

✎ 알맞은 식을 쓰고 답을 구하세요.

③ 수빈이는 노랑 색종이를 7장, 파랑 색종이를 9장 가지고 있습니다. 수빈이가 가진 색종이는 모두 몇 장일까요?

식 : 7+9=16 답 : 16장

④ 정원에 해바라기 5송이와 국화 8송이가 피어 있습니다. 정원에 핀 꽃은 모두 몇 송이일까요?

식 : 5+8=13 답 : 13송이



✎ 알맞은 식을 쓰고 답을 구하세요.

⑤ 효민이는 봉사 활동을 13일 갔고, 수혁이는 효민이보다 봉사 활동을 6일 더 적게 갔습니다. 수혁이가 봉사 활동을 간 날은 며칠일까요?

식 : 13-6=7 답 : 7일

⑥ 책장에 그림책이 16권 꽂혀 있고, 동화책은 그림책보다 7권 더 적습니다. 책장에 있는 동화책은 몇 권일까요?

식 : 16-7=9 답 : 9권

✎ 네모가 있는 식을 쓰고 답을 구하세요.

⑦ 전깃줄에 참새 몇 마리와 제비 6마리가 앉아 있습니다. 전깃줄에 앉아 있는 새는 모두 14마리일 때 참새는 몇 마리일까요?

식 : □+6=14 답 : 8마리

⑧ 동현이는 캐릭터 스티커 몇 장과 우주 스티커 8장을 합쳐 모두 15장 가지고 있습니다. 동현이가 가진 캐릭터 스티커는 몇 장일까요?

식 : □+8=15 답 : 7장

“

The essence of mathematics
is its freedom.

”

"수학의 본질은 그 자유로움에 있다."

*Georg Cantor, 게오르크 칸토어*

공간감각을 위한 하루10분 도형학습지

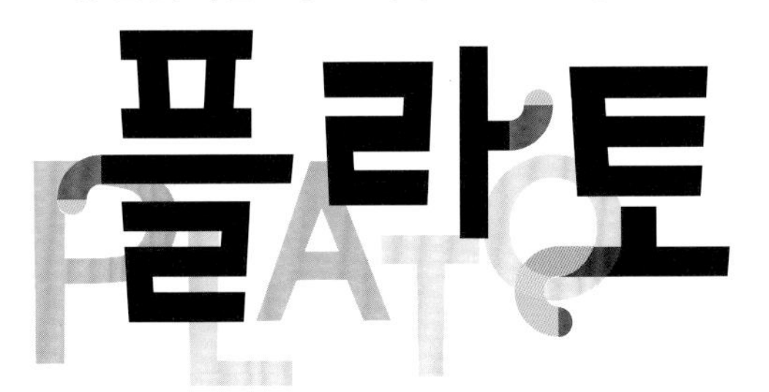


**플라토**는 체계적이고 효과적으로 도형을 학습합니다.

- 매일 부담없는 2페이지 10분 학습
- 매주 5일간 유형 연습 (5일차는 중요 유형 확인 학습)
- 권당 진단평가 5회

유초등 교과 과정의 핵심적인 도형원리를 각 학년에 맞게 4개의 학습영역으로 나누어 과학적이고 체계적으로 설계된 새로운 패러다임의 도형 전문 학습지입니다.

### 라토 S시리즈 대상:6세

| | S1. 평면규칙 | S2. 도형조작 | S3. 입체설계 | S4. 공간지각 |
|---|---|---|---|---|
| 1주차 | 점과 선 | 길이 비교 | 입체 모양 관찰 | 잘라내기 |
| 2주차 | 똑같은 모양 | 모양 붙이기 | 블록 모양 만들기 | 종이 접기 |
| 3주차 | 도형 세기 | 모양 자르기 | 쌓기나무 | 투명 종이 겹치기 |
| 4주차 | 도형 규칙 | 거울과 위치 | 입체도형 세기 | 모양 겹치기 |

### 라토 P시리즈 대상:7세

| | P1. 평면규칙 | P2. 도형조작 | P3. 입체설계 | P4. 공간지각 |
|---|---|---|---|---|
| 1주차 | 도형 그리기 | 같은 길이 | 입체도형 관찰 | 구멍난 종이 |
| 2주차 | 같은 도형 | 세모 붙이기 | 블록 모양 만들기 | 종이 접기 |
| 3주차 | 도형 세기 | 네모 붙이기 | 쌓기나무 | 여러 방향 관찰 |
| 4주차 | 도형 규칙 | 거울에 비친 도형 | 층층 쌓기 | 도형 겹치기 |

### 라토 A시리즈 대상:초1

| | A1. 평면규칙 | A2. 도형조작 | A3. 입체설계 | A4. 공간지각 |
|---|---|---|---|---|
| 1주차 | 점과 선의 수 | 넓이 비교 | 입체도형 연구 | 구멍난 종이 |
| 2주차 | 여러 가지 도형 | 패턴블록 | 여러 가지 입체 | 접고 잘라내기 |
| 3주차 | 도형 세기 | 도형 돌리기 | 쌓기나무 세기 | 여러 방향 관찰 |
| 4주차 | 도형 규칙 | 모양 만들기 | 입체도형 추리 | 겹친 실루엣 |

### 라토 B시리즈 대상:초2

| | B1. 평면규칙 | B2. 도형조작 | B3. 입체설계 | B4. 공간지각 |
|---|---|---|---|---|
| 1주차 | 원과 다각형 | 길이 재기 | 입체도형 연구 | 색종이 공예 |
| 2주차 | 도형 그리기 | 칠교판 | 본뜬 모양 | 여러 방향 쌓기 |
| 3주차 | 도형 세기 | 길이의 합과 차 | 쌓기나무 발자국 | 투명 종이 겹치기 |
| 4주차 | 점판 그리기 | 모양 만들기 | 쌓기나무 세기 | 그림자 추리 |

### 플라토 C시리즈 대상:초3

| | C1. 평면규칙 | C2. 도형조작 | C3. 입체설계 | C4. 공간지각 |
|---|---|---|---|---|
| 1주차 | 직선과 각 | 밀기와 뒤집기 | 쌓기나무 그리기 | 색종이 공예 |
| 2주차 | 직각이 있는 도형 | 돌리기 | 쌓기나무 세기 | 구멍난 종이 |
| 3주차 | 도형 그리기 | 도형의 이동 | 입체의 부피 | 여러 방향 관찰 |
| 4주차 | 패턴 무늬 | 원과 길이 | 큐브 블록 | 색종이 겹치기 |

### 플라토 D시리즈 대상:초4

| | D1. 평면규칙 | D2. 도형조작 | D3. 입체설계 | D4. 공간지각 |
|---|---|---|---|---|
| 1주차 | 각도기와 각 | 도형의 각 | 입체 찍기 | 점의 이동 |
| 2주차 | 삼각형 | 삼각형의 성질 | 입체도형 포장 | 도형과 점의 이동 |
| 3주차 | 수직과 평행 | 사각형의 성질 | 쌓기나무 포장 | 같은 도형, 다른 도형 |
| 4주차 | 다각형 | 선 긋기와 각 | 포장 종이 잇기 | 정다각형을 붙인 도형 |

### 플라토 E시리즈 대상:초5

| | E1. 평면규칙 | E2. 도형조작 | E3. 입체설계 | E4. 공간지각 |
|---|---|---|---|---|
| 1주차 | 다각형의 둘레 | 직사각형의 넓이 | 직육면체 | 점의 이동 |
| 2주차 | 합동 | 평행사변형, 삼각형의 넓이 | 직육면체의 전개도 | 도형과 점의 이동 |
| 3주차 | 선대칭 | 사다리꼴, 마름모의 넓이 | 전개도 그리기 | 주사위 |
| 4주차 | 점대칭 | 다각형의 넓이 | 전개도와 대각선 | 뚜껑이 없는 상자 |

### 플라토 F시리즈 대상:초6

| | F1. 평면규칙 | F2. 도형조작 | F3. 입체설계 | F4. 공간지각 |
|---|---|---|---|---|
| 1주차 | 원주와 원주율 | 직육면체의 겉넓이 | 각기둥 | 쌓기나무의 수 |
| 2주차 | 원을 이용한 길이 | 직육면체의 부피 1 | 각뿔 | 위, 앞, 옆 모양 |
| 3주차 | 원의 넓이 | 직육면체의 부피 2 | 전개도 | 위, 앞, 옆과 수 |
| 4주차 | 원을 이용한 넓이 | 원기둥의 겉넓이와 부피 | 원기둥, 원뿔, 구 | 큐브 연결 |

“

# The essence of mathematics is its freedom.

”

**"수학의 본질은 그 자유로움에 있다."**

*Georg Cantor, 게오르크 칸토어*

**모델명** : 씨투엠 수학독해
**제조년월** : 초판 4쇄 2021년 3월
**제조자명** : ㈜씨투엠에듀
**주소 및 전화번호** : 경기도 수원시 장안구 파장로 7(태영빌딩 3층) / 031-548-1191
**제조국명** : 한국
**사용연령** : 만 5세 이상



**홈페이지** : www.c2medu.co.kr
**지원카페** : cafe.naver.com/fieldsm

**씨투엠 수학독해 A4**

값 8,000원

ISBN 979-11-6229-036-1

하루 10분 서술형/문장제 학습지

씨투엠

# 수학 독해

## A3 시계와 규칙

초1~초2

# 지식과 상상 교육연구소

since 2013 대표 한헌조, 연구소장 김성국

생각, 활동, 지식, 상상을
수학이라는 그릇에
아름답게 담아내고 싶은
수학 교구, 교재 연구 집단입니다.

교구 프로그램

- 3D 두뇌 트레이닝 지오플릭
- 키즈디딤돌 봄봄 만지는 수학
- 생각을 감는 두뇌회전 놀이 릴브레인
- 수학 보드게임 시리즈 필즈엠
- 초등 창의사고력 수학 교구 프로그램 씨투엠클래스
- 유아 창의사고력 활동 수학 프로그램 씨투엠키즈
- 수학 교구 공동구매 프로젝트 필즈엠 사구공구(4909)
- 해법에듀 교구 활동 중심의 창의사고력 뉴런 놀이수학

교재 시리즈

- 생각을 감는 두뇌회전 연산 릴브레인북
- NE 매쓰큐브 하루 30분 조각연산법 사고셈
- 천재교육 사고력 노크 / 연산력 노크
- 공간 감각을 위한 하루 10분 도형 학습지 플라토
- 실전 사고력 수학 프로그램 씨투엠RAT
- 마법스쿨 마법의 집중해결 수학
- 하루 10분 서술형/문장제 학습지 수학독해
- 상위권으로 가는 문제 해결 연산 학습지 응용연산

## 필즈엠 수학으로 하나되는 무한상상 공간

필즈엠은 (주)씨투엠에듀에서 개발하고 판매하는 최신개정교과서 기반 학습교구, 교재 시스템 브랜드입니다.

수학으로 하나되는 무한상상 공간 필즈엠 카페는 수학을 좋아하는 사람들이 모여 수학 교육정보 및 교구 학습자료를 자유롭게 공유하는 커뮤니티 카페입니다.

필즈엠 카페 cafe.naver.com/fieldsm